Atome-Pouce

Castor Poche
Collection animée par
François Faucher et Martine Lang

Titre original :

ATOMINO

Une production de l'Atelier du Père Castor

© 1976 Marcello Argilli

© 1986 Castor Poche Flammarion
pour la traduction française et l'illustration

MARCELLO ARGILLI

Atome-Pouce

traduit de l'italien par
ROGER SALOMON

illustrations de
ERIKA HARISPE

castor poche flammarion

Marcello Argilli, l'auteur, est né en 1925, à Rome où il habite encore aujourd'hui.

« Rome, dit-il, est pour moi unique au monde. Il est des villes plus riches, plus mondaines, plus industrielles, ou mieux organisées, mais aucune d'elles n'est aussi chargée d'histoire, d'architecture, d'art. C'est une ville très antique, sage, paresseuse et vous pouvez y vivre à votre guise.

« En 1951, j'ai rencontré Gianni Rodari, l'un des plus grands écrivains de l'après-guerre. Il m'invita à collaborer au journal pour les enfants qu'il dirigeait alors. Je me suis aperçu ainsi que j'entrais spontanément en communication avec les jeunes. Depuis lors, j'ai écrit exclusivement pour eux et peu après j'ai publié mes premiers livres.

« Certains aiment gagner de l'argent, d'autres chanter ou faire des courses automobiles. Moi, j'aime inventer des histoires, aussi bien réalistes que fantastiques. J'éprouve un grand plaisir à créer quelque chose d'entièrement mien : un personnage, une histoire... Quand une personne, un événement, une situation suscitent mon émotion ou mon indignation, mon imagination s'en empare et ils deviennent le point de départ d'une histoire. C'est ma façon de participer à la vie des gens, surtout des enfants et des adolescents. C'est facile d'ébaucher l'histoire, de camper les personnages et les faits principaux. Ce qui devient difficile, c'est de la compléter, d'étoffer les personnages secondaires, d'articuler les différentes parties du récit. J'aime que mes histoires intéressent, et pas seulement dans mon pays. Mes 80 volumes traduits à l'étranger font que je me sens un peu citoyen du monde. Cela me donne la sensation d'avoir des milliers et des milliers d'amis disséminés un peu partout.

« J'ai toujours été fasciné par la science, par son pouvoir de changer le monde, de dominer la nature, d'améliorer la vie des hommes. Et en même temps je suis bien obligé de constater l'usage pervers qu'on peut en faire. Une fusée par exemple peut servir à explorer l'univers mais elle peut aussi être utilisée comme arme. Ceci est particulièrement valable aujourd'hui, à l'ère atomique : l'énergie atomique peut apporter d'immenses avantages à l'humanité ou elle peut la détruire. Le personnage d'Atome-Pouce met en évidence sous forme de fiction cette absurde contradiction. J'ai toujours aimé travailler sur des personnages et des histoires qui, tout à la fois, émeuvent, amusent et font réfléchir. »

Roger Salomon, le traducteur, est professeur agrégé d'italien dans le Midi, près de la frontière, qu'il franchit souvent pour se rendre en Italie où il a de nombreux amis.

Depuis quelques années, il a entrepris de faire connaître en France les écrivains italiens pour la jeunesse. Il a déjà traduit plusieurs ouvrages de Gianni Rodari, dont il apprécie l'humour, l'imagination et les jeux de langage. Ces mêmes qualités, il les a retrouvées chez Marcello Argilli. « C'est une des raisons qui m'ont amené à traduire *Atome-Pouce*, dit-il. Mais il y en a d'autres, aussi importantes sinon plus. A commencer par le message humaniste de cette histoire. Atome-Pouce, ce Pinocchio de l'ère atomique, cette créature de la science qui échappe à ses créateurs, a tout, au départ, pour être une sorte de superman maléfique semant terreur et destruction sur notre planète. Et pourtant, le coup de génie d'Argilli consiste à avoir pris à contre-pied ce mythe du "héros du mal" qui hante la science-fiction traditionnelle et d'avoir fait de ce personnage un anti-héros, un être fragile, maladroit, ingénu, bonasse, qui va prendre peu à peu conscience à la fois de sa toute-puissance et de la nécessité de la mettre au service du progrès et du bien-être de l'humanité. »

Erika Harispé, l'illustratrice, est née en Égypte.

« J'ai passé les trois premières années de mon enfance dans une oasis — Ismaïlia — au milieu des sables chauds. Puis je suis venue en France et me suis installée à Nice. Avec mes amis, nous faisions les caricatures des habitants du quartier. Plus tard, au lycée, je dessinais pendant les cours.

« Aujourd'hui, j'habite avec ma fille, Gaëlle, pas très loin de Paris, dans une petite maison. Je dessine toujours devant ma fenêtre et j'ai la chance d'observer une trentaine d'oiseaux d'espèces différentes. J'ai pris un grand plaisir à dessiner Atome-Pouce dont l'humour et la sensibilité m'ont beaucoup touchée. »

Atome-Pouce :

Échappé du laboratoire où il a pris forme « presque humaine », Atome-Pouce a bien de la chance de rencontrer Colombine. Fille d'un éminent savant, elle a tout de suite reconnu l'étrange petit bonhomme. C'est un atome, elle en est certaine. Il sera le petit frère qu'elle n'a jamais eu...

Sous son apparence métallique, Atome-Pouce cache un cœur d'or et un esprit espiègle. Cela les entraîne dans de nombreuses aventures, en compagnie du chat Fantasio, l'affreux jojo à l'humour décapant...

1. La marmite explose

« ... pensez-vous. Non pas qu'ils me maltraitent, mais ils sont toujours si distraits, si affairés. Jamais une caresse. Jamais ils ne daigneraient froisser en boule une feuille de papier pour me faire jouer. Même si ce sont de grands savants, ils n'y perdraient rien de leur dignité. Pensez-vous, regardez-les, ils m'ignorent complètement. Depuis des heures ils sont plantés là à scruter ces cadrans et à marquer des chiffres sur leurs carnets : que peuvent-ils bien y trouver de si intéressant ? Ils s'amuseraient cent fois plus en jouant avec moi. Je ne suis pas n'importe qui, moi : ce n'est pas pour me vanter, mais je suis de pure race, à cent pour cent. Enfin, disons à 90 pour 100. Bon, peu importe, pur à 90 ou 80 pour 100, je mérite bien un peu d'attention, non ? Je ne crois pas être trop exigeant... Encore, si je pouvais chasser les souris, ça me ferait une petite distraction ; mais en cet endroit à mourir d'ennui, au milieu de toute cette machinerie vernie, va trouver une souris, bernique ! Et ne parlons pas des oiseaux ! Ah ! si je pouvais contempler un joli petit oiseau posé sur une branche basse, écouter son délicieux pépiement, me délecter de ses trilles délicats, me laisser bercer par son mélodieux gazouillis... Hé oui, j'ai une âme de poète, moi. Rester là extasié à l'écouter, et, quand il atteint la note la plus aiguë, la plus délicate..., plaf ! un coup de patte. Ils sont si bons les petits oiseaux... A propos, espérons que le cuisinier n'oublie pas mon mou. Côté nourriture, j'avoue que je n'ai pas à me plaindre. A part cette sale manie de faire bouillir le mou : pas moyen de leur faire comprendre que les chats le préfèrent cru. Qu'y a-t-il au menu aujourd'hui ?

Patience, on verra bien, il est encore tôt. »

Blotti sous un gros ordinateur, le chat guettait ce qui se passait dans l'immense laboratoire. La seule salle de la Centrale atomique où on ne lui permettait pas d'entrer. C'était d'ailleurs précisé sur l'écriteau accroché à la porte :

Entrée formellement interdite
aux personnes étrangères au service.

Je vous demande un peu : comme s'il n'était pas de la maison, lui, la mascotte de la Centrale ! C'est pourquoi, quitte à y pénétrer en cachette, il avait bien le droit de contrôler ce qu'ils mijotaient là-dedans, les savants. Complètement fous : dans leurs blouses blanches, ils passaient des heures à contempler avec des yeux de merlan frit cette drôle de machine qui trônait au milieu du laboratoire. Une espèce d'énorme marmite : elle avait même un couvercle et ressemblait tout à fait à celle de la cuisine où bouillait sa ration quotidienne de mou.

Rien qu'à y songer il se lécha les

babines. Pourtant il n'était pas un chat matérialiste. Pour une simple caresse de ses patrons, il aurait même renoncé au mou. Enfin, pas vraiment à tout, mais à quelques bouchées, oui.

Pensez-vous : ils étaient occupés à écouter le directeur, le professeur Sénior, et il fallait voir comme ils avaient l'air sérieux et attentifs, bien sages tels de bons petits écoliers, tous ces doctes personnages couverts de diplômes — professeurs, ingénieurs, chimistes, physiciens...

« Quelle barbe ! conclut-il. Je préfère mille fois les enfants, eux au moins ils ont toujours envie de jouer, même si parfois ils exagèrent et vous tirent la queue. »

— Mes chers collègues, était en train de dire le professeur Sénior, l'expérience que nous allons tenter marquera un tournant dans l'histoire de l'humanité. Jusqu'à présent l'énergie atomique n'était fournie que par les atomes de l'uranium, les plus faciles à désintégrer. Tandis que nous, pour la première fois, nous allons tenter de l'obtenir à partir

des atomes de tous les autres éléments :
fer, césium, plutonium, zinc, radium,
thorium, etc.

Le directeur indiqua de longs bras
mécaniques suspendus au-dessus de l'é-
norme machine en forme de pile ; chaque
bras se terminait par une petite boîte
munie d'une étiquette : *Fer, Césium, Plutonium, Zinc, Radium...*

Le chat jeta un coup d'œil à ces
énormes bras. Leur dernière trouvaille.
Complètement fous, ces types, décidément : tous les jours ils s'enfermaient
dans le laboratoire pour se livrer à de
nouvelles excentricités ; ils n'en rataient
pas une.

« Au lieu de perdre leur temps à ces
âneries, pensa-t-il, pourquoi n'inventent-
ils pas un rat, par exemple du genre rat
des champs, un de ces mulots vifs et lestes
qui sont si excitants à attraper ?... »

– Chacun de ces boutons, continuait le
directeur en montrant une console devant lui, actionne un bras mécanique qui
va introduire dans notre pile des atomes
de ces différents éléments. Par réaction
en chaîne nous obtiendrons une immense
quantité d'énergie atomique.

Le chat se dévissa le cou pour voir. La console était hérissée de boutons de toutes les couleurs.

– Mes chers collègues, si cette extraordinaire expérience réussit, nous disposerons d'assez d'énergie pour assurer le bien-être de l'humanité tout entière.

– Nous pourrons fournir de l'électricité à une infinité d'usines, affirma un ingénieur. Il n'y aura plus de chômeurs dans le monde.

– Nous pourrons faire naviguer des milliers de navires..., ajouta un autre.

– ... et produire assez de chaleur pour faire fondre les glaciers qui recouvrent l'Antarctique, précisa un géologue ; l'humanité disposera ainsi d'un nouveau continent à fertiliser et rendre habitable.

– Nous pourrons cultiver même les déserts...

– ... et construire des fusées pour explorer l'univers !

– Il n'y aura plus besoin de travailler toute la journée. Chacun aura plus de temps libre, et les papas pourront donc rester plus longtemps à la maison avec leurs enfants.

Le chat bâilla d'ennui. Tout ce baratin,

il le connaissait par cœur ; à la Centrale on ne parlait que de ça : le bien-être de l'humanité par-ci, le progrès par-là, et je vais t'embellir le monde... Croyez-vous qu'il s'en serait trouvé un seul pour se préoccuper du bien-être de la chatinité ? Jamais de la vie ! Mais cette fois ils atteignaient le sommet du ridicule : ils n'auraient pas été plus enthousiastes s'ils avaient gagné cent millions au tiercé !

– Pourrons-nous aussi chauffer les nids des oiseaux, demanda timidement un jeune savant rougissant, afin que l'hiver ils ne souffrent pas du froid et ne soient pas obligés d'émigrer ?

– Bien sûr ! répondit le directeur.

Le chat dressa l'oreille. Ce jeune homme semblait avoir une âme exquise, et plus d'imagination que les autres. Il s'inquiétait pour les oiseaux : qui sait si, de fil en aiguille, il n'allait pas enfin se souvenir de la noble race féline ?

– Pourra-t-on également construire des mini-fusées destinées aux enfants, continuait le jeune savant, les yeux brillants, pour leur permettre de connaître le monde, et aussi de dormir une demi-heure de plus sans arriver en retard à l'école ?

13

– Certes.

– Resterait-il encore un peu d'énergie atomique pour redresser les dents des petites filles et faire grandir les gamins trop petits ?

Quelle déception : pas la moindre allusion aux chats ! Et pourtant il y en avait des rêves de chats à réaliser : cures reconstituantes pour les griffes, renforcement de la répression du banditisme canin, installation de distributeurs automatiques de mou, de foie de veau et de blanc de poulet...

– Mes chers collègues, conclut le professeur Sénior, le grand moment est arrivé. Allons-y.

Dans un silence solennel, il allongea la main vers la console et tous, le cœur battant, contemplaient cette main, tous fixaient ce doigt tendu vers un bouton rouge. On aurait entendu voler une mouche...

... quand soudain :

– Savants, rassemblement ! hurla une voix provenant d'un haut-parleur accroché dans un coin de la salle. Professeur Sénior, à moi ! Tout de suite !

Tous se tournèrent vers le haut-parleur

comme on regarde un intrus qui ose profaner une cérémonie religieuse. Le jeune savant fit même :

– Chut !

Seul le professeur Sénior resta impassible, comme s'il n'avait rien entendu, et son index se posa sur le bouton rouge. Mais il n'eut pas le temps d'appuyer car à nouveau le haut-parleur tonna :

– Professeur Sénior, gaaarde-à-vous ! En avant, marche ! A moi, tout de suite, c'est un ordre !

Le directeur retira son doigt. Le chat ne l'avait jamais vu aussi furieux, même la fois où il s'était amusé à lui mordiller le revers du pantalon alors qu'il était occupé à résoudre une équation à douze inconnues.

D'un pas pressé, les pans de sa blouse voltigeant derrière lui, le professeur Sénior se dirigea vers la porte en marmonnant des injures. Tous les autres le suivirent.

En un instant le vaste laboratoire se trouva désert.

Le chat sortit de sa cachette, s'étira, regarda autour de lui. Il alla flairer l'énorme marmite : comme prévu, elle ne contenait ni mou, ni foie de veau, ni blanc de poulet.

De la cour monta un bruit de voix excitées. Bizarre, dans la Centrale personne n'élevait jamais le ton.

Mais c'étaient les boutons qui l'intriguaient le plus et il sauta sur la console. Il y en avait une rangée, de toutes les couleurs : rouges, jaunes, verts, bleu foncé. Il flaira aussitôt les rouges : non, ce n'était pas de la viande ; ils sentaient vaguement l'émail.

Marchant sur la console, il s'aperçut que les boutons s'abaissaient quand il y posait les pattes. C'était amusant. Il appuya sur un jaune qui s'enfonça avec un petit « clic », pour remonter tout de suite après. Un vert : « clic », même chose. Un rouge, un orange, un bleu ciel, un noir. Très drôle : il avait l'impression de jouer du piano. Il se mit à piétiner allégrement tout le clavier, en long, en large et en travers, les boutons multicolores cliquetaient que c'en était un plaisir, et lui il montait et descendait la gamme, la gamme des couleurs et des sons, il dansait, virevoltait, déchaîné dans une frénétique sarabande. Lui, au moins, il savait s'amuser, il n'était pas comme ces pisse-froid de savants ! Olé, admirez-moi, je suis le danseur étoile atomique !

Un bruit sourd le bloqua net. Au-dessus de sa tête, les bras mécaniques se mettaient en mouvement, comme tirés de leur torpeur, faisant craquer leurs articulations : trac-crac-dang...

Aussitôt en garde, il fit le gros dos ; il sortit ses griffes et ses yeux devinrent deux fentes jaunes. Était-ce à lui qu'ils en voulaient ?

Mais les bras se dirigeaient tous vers la grande marmite, chacun avec sa petite boîte accrochée au bout. Non, ce n'était pas à lui qu'ils en voulaient ; n'empêche qu'il valait mieux être prudent...

Le couvercle de la marmite se souleva brusquement avec fracas. Malédiction, avaient-ils par hasard l'intention de le jeter dedans ? Adieu prudence, sauve qui peut ! D'un bond il retourna se tapir sous son ordinateur.

Les bras continuaient à se mouvoir. L'un d'eux laissa tomber sa boîte dans la marmite. Puis un autre, un autre encore, tous... La marmite commença à bouillir...

Le couvercle se referma tout d'un coup, tandis que les bras s'écartaient. Dans la marmite le bouillonnement augmentait, se transformait en grondement, comme s'il y tourbillonnait des milliers de sauterelles affolées. En fait de sauterelles, maintenant, on aurait dit plutôt des autos de course lancées à plein régime, des avions à réaction fonçant sur leur proie, et ça ne faisait que s'amplifier. L'énorme récipient semblait sur le point d'éclater, une épaisse fumée s'échappait des bords du couvercle, la marmite oscillait, se dilatait comme un volcan qui va entrer en éruption...

Le pauvre chat avait oublié les boutons, la sarabande sur le clavier, et même le mou et le foie de veau. « Elle va éclater ! pensa-t-il. Elle éclate ! »

Effectivement, elle éclata, dans un vacarme assourdissant qui lui fit pousser un miaulement de terreur. Il eut à peine le temps de voir le couvercle sauter en l'air et flamboyer un éclair phosphorescent, puis il cacha sa tête entre ses pattes...

Mais — chose curieuse — il ne se passait rien et maintenant planait un grand silence. Et aussi une étrange odeur. Il devait y avoir quelqu'un dans la salle. Quelqu'un qui venait le prendre ? Pour lui couper la queue ? Pour le jeter dans un puits ? Pour l'écorcher vif ?

A nouveau il fit le gros dos, sortit les griffes et, lentement, avec circonspection, tendit le cou pour voir.

Il y avait bien quelqu'un à côté de la marmite découverte et fumante. Sorti de là-dedans ?

Au fait, qui était-ce ? Un homme ? Non, c'est-à-dire si, cela pouvait en être un, mais pas plus grand qu'un enfant. Des enfants comme ça, toutefois, il n'en avait jamais vu, même s'il avait des bras et des jambes. Son corps, bizarre, rond comme une sphère, n'avait pas l'air d'un corps en chair et en os. De plus, au-dessus de sa tête vibrait au bout d'une tige un étrange petit bidule mobile, un peu comme une pendeloque à l'envers ou un hochet de bébé. Et pourtant il avait une expression vraiment humaine, et plus précisément celle d'un petit garçon qui regarde autour de lui, l'air égaré.

Le chat remua le nez : non, ce n'était pas une odeur d'homme, mais enfin, une odeur, il en avait une. Peut-être qu'en le flairant de près il comprendrait mieux. Intrigué et craintif, il fit quelques pas en avant, les griffes prêtes à toute éventualité, la queue droite. Pas de mauvaise plaisanterie, hé, machin !

Pas à pas, précautionneusement, il s'approcha. L'autre ne manifesta aucun signe d'hostilité, mais tendit la main. Le chat s'accroupit en crachant, les griffes en position de combat. L'autre, tranquille, se pencha, allongea les doigts.

« Si tu me fais mal je mords, je griffe, attention ! »

Les doigts se posèrent sur sa tête contractée, le grattèrent doucement entre les oreilles, là où il n'arrivait pas avec ses pattes et où il aimait tant se faire caresser. Quelle main délicate, quel plaisir ! Son poil redevint lisse, il rentra les griffes. Personne ne l'avait jamais caressé aussi bien.

Alors il était gentil. Et ma foi, à le sentir de près, il avait plutôt une odeur sympathique. Laquelle ? Difficile à définir, un mélange de plusieurs odeurs.

Le chat se redressa, se frotta à ses jambes.

« Qui que tu sois, gratte-moi encore, c'est si agréable... »

Mais l'autre se retourna : des cris montaient de la cour.

« Ne t'inquiète pas, ce n'est rien, continue... Pourquoi t'en vas-tu ? Je t'en prie, reste, gratte-moi la tête. »

Hélas, l'autre s'en allait déjà, attiré par les voix.

2. Le général arrive

— Que personne ne bouge ! criait dans la cour le général Siméon.
— Il y a eu une explosion, protesta le professeur Sénior. Nous voulons aller voir ce qui s'est passé.
— Silence ! hurla le général. Gaaarde-à-vous !

Impossible de discuter. Les soldats du général Siméon, qui entouraient les savants, firent un pas en avant. Comme une nichée de poussins blancs, les savants se serrèrent autour du professeur Sénior. Mais, bien que silencieux, ils regardaient intrépidement le général à côté duquel se trouvait un homme trapu, en blouse noire, avec un gros livre sous le bras.

— Je suis venu vous donner un ordre, vociféra le général. Allez-vous m'obéir, oui ou non ?

Personne ne répondit.

— Ah oui, c'est vrai... R'pos ! Maintenant vous pouvez parler, mais je vous ordonne de répondre seulement oui.

Le jeune savant fit timidement un pas en avant.

— Excusez-nous, dit-il avec beaucoup de courtoisie, nous ne pouvons vraiment pas répondre oui. Avec l'énergie que nous allons tirer de notre invention, nous avons déjà pris l'engagement de faire un tas de choses : chauffer les nids des oiseaux...

— Quoi ? glapit le général.

— ... construire des mini-fusées pour aller à l'école...

Le général Siméon, écarlate, haletait, mais le jeune savant poursuivait candidement :

— Si vous saviez tous les projets que nous avons : applications atomiques pour faire grandir les enfants trop petits, redresser les dents, soigner les oreillons...

23

La poitrine gonflée, le général allait exploser, quand soudain :

– Ciao ! dit une petite voix.

L'étrange personnage qui avait caressé le chat arrivait, placide et souriant. Sans remarquer les regards éberlués posés sur lui, il alla se planter devant le général.

– Ciao ! répéta-t-il, et il avait l'air de dire : « Salut, comment vas-tu ? »

Mais le général n'était pas en veine de civilités.

– Qui es-tu ? brailla-t-il. Nom, prénom, grade !

– Moi ?

Il semblait ne rien comprendre à ces questions.

– Professeur Von Baoum ! tonitrua le général. (L'homme en blouse noire claqua des talons.) Qu'est-ce que c'est que ce machin ?

– Eh bien... On dirait..., balbutia le professeur Von Baoum. A vrai dire... heu... voyons... il me semble...

– On dirait un atome, murmura le professeur Sénior, encore ahuri.

– Voilà ! s'exclama Von Baoum, comme un écolier à qui on vient de souffler la réponse juste.

Il ouvrit le livre qu'il tenait sous le bras, le feuilleta en hâte, regarda les illustrations, regarda le « machin ».
— Mon général, dit-il, il ressemble tout à fait aux atomes représentés sur ces illustrations...
— Et qu'est-ce qu'un atome ? demanda le général.
Von Baoum feuilleta à nouveau fébrilement son livre, trouva la page et lut :
— « L'atome est une particule infinitésimale de la matière, constituée d'un noyau et d'électrons qui tournent autour. Un atome est infiniment petit, invisible même au microscope le plus puissant du monde... »
— Ce ne peut être un atome, il est bien trop grand, remarqua le professeur Sénior. Et puis, vous n'avez pas entendu ? Il parle...

Le petit être étrange, gêné d'être au centre de l'attention générale, tournait la tête de tous côtés, souriant timidement.
— Alors qu'est-ce que c'est ? insista le général.
— Mais... heu... je..., bégaya Von Baoum. Je pense... je suppose que ce ne peut être

un atome... Vous n'avez pas entendu ? Il parle...

Voyant que le général s'impatientait de plus en plus, il se remit à feuilleter son livre. Après quoi il déclara avec conviction :
– Ce n'est pas un atome, ce traité de physique nucléaire est formel : les atomes ne parlent pas et ne ressemblent pas à des enfants.

Le professeur Sénior s'avança :
– Mon général, je demande à étudier ce phénomène. De toute évidence, nous

nous trouvons confrontés à un cas d'un extrême intérêt pour la science. Si c'était vraiment un atome...

– Que peut-on faire avec un atome ? l'interrompit brutalement le général Siméon.

– Les atomes contiennent une énorme énergie qui peut être employée de diverses façons : pour faire marcher les centrales électriques, les usines, les navires brise-glace...

– Niaiseries ! décréta le général.

– A vrai dire, intervint Von Baoum,

l'atome sert aussi à la construction de bombes atomiques...

Le général s'illumina comme si on lui avait annoncé qu'il venait d'hériter d'un trône.

— Alors, si ce machin avait quelque chose d'atomique, gros comme il est, il pourrait être très utile...

— ... à la science, dit Sénior avec solennité.

— Certes, à la science... militaire ! Eh, toi, machin !...

— Vous désirez ? s'empressa le petit bonhomme, affable et souriant.

— Tu es réquisitionné par les forces armées.

— Ah bon ? Très honoré... Mais, pardonnez-moi, qu'est-ce que ça signifie : « réquisitionné par les forces armées » ?

— Silence ! Les généraux donnent des ordres, pas des explications !

— Oui, mais moi, vous savez...

— Tu oses discuter mes ordres ? Gardes, saisissez-le !

Une nuée de soldats lui tomba dessus. Mais dès qu'ils l'eurent touché il se tordit de rire, des étincelles jaillirent de son corps sphérique et les pauvres bidasses rebondirent au loin comme des ballons de football.

– Il est chargé d'électricité ! s'exclama le professeur Sénior, abasourdi.

Le plus abasourdi était Siméon.

– Quoi ? Tu oses te rebeller ? hurla-t-il.

– Pas du tout, mais que voulez-vous, c'est plus fort que moi, je ne supporte pas les chatouilles... Mon Dieu, vous ne vous êtes pas fait mal, au moins ?

Plein de sollicitude, il courut relever les soldats encore étourdis.

– Gaaarde-à-vous ! brailla Siméon.

Comme une jeune recrue qui s'aperçoit qu'elle en fait de belles, le petit bonhomme se mit au garde-à-vous, intimidé.

– Retourne à la Centrale ! En avant, marche ! Une — deux ! Une — deux !

Obéissant, il s'éloigna au pas cadencé.

– Professeur Von Baoum, je vous le confie. Étudiez-le avec le professeur Sénior et ses collègues et tâchez d'en tirer quelque chose d'utile.

– Oui, mon général ! dit Von Baoum.

– Non, mon général ! dirent en chœur le professeur Sénior et ses collègues.

Grâce à ce « non » plein de fierté, les

savants se retrouvèrent sous les verrous, et Von Baoum dut étudier tout seul le « machin » après l'avoir bouclé dans une cellule pour être sûr qu'il ne s'échapperait pas. Mais il avait beau consulter désespérément son livre de physique, il n'y comprenait rien.

De temps en temps, le général lui tombait sur le poil.

– Alors ?

– Heu... c'est-à-dire... enfin... peut-être...

– Bougre d'âne, qui t'a donné ton permis de savant ? Creuse-toi les méninges !

Von Baoum claquait des talons :

– Oui, mon général !

Mais il n'était pas le seul à se creuser la cervelle. Surveillés par les soldats de Siméon, le professeur Sénior et ses collègues se posaient eux aussi des questions.

– Si au moins nous pouvions l'examiner...

– Serait-ce un effet de l'expérience que nous tentions ? On a entendu une explosion...

– Pourtant, personne n'a actionné les commandes : dans le laboratoire, il n'y avait plus âme qui vive.

– De toute façon, nous ne dirons jamais oui au général.

– Jamais ! cria de sa petite voix le jeune savant timide. Jurons-le !

Comme des conjurés, ils jurèrent solennellement.

Pendant ce temps, enfermé dans sa cellule, le petit bonhomme regardait autour de lui avec ses grands yeux effarés. Il avait tellement apprécié l'air, le soleil, le ciel, et voilà que maintenant il étouffait entre ces quatre murs. Du ciel, il n'arrivait à en voir qu'un petit bout, à travers les grosses barres de la grille. Il ne comprenait pas pourquoi il devait rester enfermé là alors que la lumière, dehors, était si belle. Et il y avait bien d'autres choses qu'il ne comprenait pas : « réquisitionné par les forces armées », qu'est-ce que cela signifiait ? Et pourquoi le monsieur en uniforme hurlait-il tant ?

Il entendit un miaulement et vit le chat perché entre les barres.

– Ciao ! lui dit-il mélancoliquement.

Le chat sauta par terre et vint se frotter à ses jambes.

Comme il l'espérait, le petit bonhomme se mit à lui gratter la tête. Pas de doute, il était drôlement fort, il s'y connaissait en chats. Tout en se prélassant sous les caresses, il pensait : « Qui peut-il bien être ? D'où peut-il bien venir ? Serait-il vraiment sorti de cette marmite ? »

Tiens, à propos de marmite, dans la cour on entendait :

— Minet minet minet !

C'était le cuisinier qui l'appelait pour le déjeuner.

« Bien, on mange. » Mais ça l'embêtait de renoncer aux caresses. Au fait, pourquoi son nouvel ami ne l'accompagnerait-il pas à la cuisine ?

Il fit quelques pas vers la grille. Mais l'autre ne bougeait pas.

« Viens, qu'est-ce que tu attends ? » Il sauta entre les barreaux et l'invita en ronronnant. Rien, il restait assis mélancoliquement. Quel manque d'imagination !

A nouveau parvint l'appel du cuisinier.

« Tu te décides ? Viens ! » Le chat sauta à l'extérieur.

Le petit bonhomme regarda la grille, stupéfait. Où était passé le chat ? Il se leva pour jeter un coup d'œil entre les barres. Dehors il y avait le soleil, le ciel, le grand air. C'était beau, dehors. Si le chat était parti, ça voulait dire qu'il était possible de sortir de là. Hélas, lui il ne pouvait pas passer entre ces barreaux, pensa-t-il en les empoignant tristement... Mais voilà qu'au contact de ses mains, comme sous l'action d'un super-chalumeau oxhydrique, les énormes barres d'acier fondirent et disparurent, liquéfiées.

Il bondit dehors : il était à nouveau en pleine lumière, sous le vaste ciel, et l'horizon l'invitait en lui offrant les couleurs de ses prés, de ses bois, de ses lointaines maisonnettes enfouies dans la verdure. Comme c'était beau la liberté ! Il se mit en route, tout joyeux.

Le chat, qui était en train de se diriger vers la cuisine, l'aperçut.

– Miaou ! fit-il pour attirer son attention.

Mais l'autre poursuivait son chemin.

« Pas par là, viens ici ! Hé, machin, c'est à toi que je miaule, ne t'en va pas ! »

C'était la première personne gentille qui ne dédaignait pas de lui gratter la tête et il ne voulait pas le perdre. Et s'il partait avec lui ? Un chat est libre, il peut s'en aller avec qui il veut, après tout il n'avait pas signé de contrat avec les savants.

— Minet minet minet ! répéta le cuisinier qui s'impatientait.

Même bouilli, le mou, ce n'était quand même pas mal, et la ration était toujours abondante. Si le petit bonhomme restait avec lui, ils pourraient partager. Pas vraiment moitié-moitié, non, mais enfin, il pouvait lui en donner quelques morceaux.

— Miaou ! Miaou ! appela-t-il encore.

L'autre se retourna. Le chat remua la queue d'un air engageant. Mais le petit bonhomme se contenta de lui lancer un « ciao » pressé et accéléra l'allure.

— Miaou !

« Et si je m'enfuyais avec lui ? Ça pourrait être un bon patron. »

— Minet minet minet ! s'égosillait le cuisinier.

Quel grave dilemme : les caresses ou le mou ?

— Miaaaou !

Mais l'autre désormais courait à une vitesse fantastique, comme une fusée, si bien qu'en un éclair il disparut à l'horizon.

« Quel idiot ! conclut le chat. Bof, patience, allons manger. »

Cependant, le général Siméon se frottait les mains :
– Ces têtus de savants refusent de travailler pour moi, mais Von Baoum finira bien par m'arranger ça... Si ce machin est utilisable pour ce que j'espère, je vais être le général le plus puissant du monde !

3. Je t'ai reconnu

Une grande ville. Au zénith, le soleil éclaire de plein fouet les toits, les autos qui sillonnent les rues, les gens qui marchent sans ombre. C'est samedi, à l'heure où les employés sortent des bureaux, les enfants des écoles. Hommes, femmes, enfants se dépêchent : à la maison le déjeuner les attend. Dans la rue principale de la ville, un fleuve humain s'écoule sur le trottoir.
– Quelle idée de se déguiser ! Carnaval est passé depuis un bout de temps, dit un monsieur qui se retourne, s'arrête pour regarder.

36

– Il n'est pas déguisé, intervient un autre monsieur qui lui aussi s'arrête, oubliant le repas qui l'attend à la maison. C'est peut-être son aspect normal.

– Impossible, il n'existe pas d'enfants pareils.

– On dirait un Martien ! remarque un petit garçon.

– Un Martien ? (Sa mère, qui le tient par la main, sursaute.) Il ne manquerait plus que ça ! Allez, ouste, à la maison !

– Il est curieux, mais mignon ! commente une jeune fille.

Le fugitif poursuit son chemin, laissant derrière lui un sillage de gens qui se retournent pour le regarder. Bien que la ville soit très loin de la Centrale, il est déjà là, même pas essoufflé par sa course fulgurante : un record époustouflant.

En marchant il regarde joyeusement autour de lui. Pour lui tout est nouveau, il voit tout cela pour la première fois, et tout lui plaît : les immeubles, les voitures, les feux tricolores, les gens.

– Ciao ! dit-il chaque fois qu'il croise une personne ébahie à sa vue.

Il salue tout le monde, car tout le monde lui est sympathique.

– Eh ! regardez !

Un groupe d'écoliers lui barre la route, l'oblige à s'arrêter.

– Ciao ! dit-il.

– Ciao ! répondent les enfants. Qui es-tu ?

Il sourit sans répondre.

– Dis, tu es un Terrien ? Réponds, n'aie pas peur.

– C'est un nain, décrète l'un d'eux.

– C'est un fou déguisé.

Les gens s'attroupent, on ne peut plus circuler sur le trottoir.

– Merde alors ! s'exclame une petite fille blonde, et elle ajoute à mi-voix : Pas d'erreur, c'est tout à fait ça !

L'attroupement est tel que même les autos doivent s'arrêter. Un agent arrive.

– Circulez ! dit-il sévèrement en se frayant un passage dans la foule. Ah ! c'est toi qui gênes la circulation !

Pour lui, la circulation c'est sacré, elle doit toujours « circuler » et, si quelqu'un y fait obstacle — un homme, un chien ou un « machin » quelconque —, il flaire aussitôt dans l'air une bonne odeur de contravention.

– Pourquoi gênez-vous la circulation ? demande l'agent.

– Ciao ! répond le petit bonhomme, et il lui adresse un grand sourire comme s'il venait de retrouver un vieil ami.

– Comment vous appelez-vous ? Nom-prénom-adresse-profession-date-et-lieu-de-naissance !

L'autre ne dit mot et continue à sourire.

– Vous refusez de répondre ?

Mais l'agent a en réserve son arme secrète :

– Vos PAPIERS !

– Papiers ? (Le petit bonhomme ouvre de grands yeux, le petit bidule mobile vibre sur sa tête.) Qu'est-ce que c'est ? demande-t-il.

Tout le monde se met à rire.

« Il gêne la circulation, il me dit "ciao", il ne veut pas me donner ses nom-prénom-adresse-profession-date-et-lieu-de-naissance, il refuse de me montrer ses papiers... Son compte est bon ! » Tout cela, l'agent le pense en un éclair et conclut :

– Accompagnez-moi au commissariat !

– Attendez, vous ne pouvez pas l'ar-

rêter ! intervient la petite fille blonde.
C'est mon frère. Ne faites pas attention à
ce qu'il dit, il est un peu simple d'esprit.
Je le ramène tout de suite à la maison.

Puis elle s'adresse à lui sur un ton
d'affectueux reproche :

— Je te l'ai déjà dit mille fois de ne pas
sortir tout seul !

— C'est votre sœur ? demande l'agent,
méfiant.

Le petit bonhomme regarde autour de
lui d'un air effaré, puis il dévisage la
petite fille. Il ne comprend qu'une chose,
c'est qu'elle veut l'aider, et c'est une
sensation agréable, comme la tiédeur du
soleil.

— Ciao ! lui dit-il en souriant.

Il a déjà oublié l'agent. Mais la petite
fille répond vivement pour lui :

— Je vous le jure, c'est mon frère. D'ailleurs ça saute aux yeux : regardez
comme il me ressemble.

— C'est vrai, confirme un gamin. (Il a
tout de suite saisi qu'elle veut aider
l'autre.) C'est évident : ils se ressemblent
comme deux gouttes d'eau.

Tout le monde approuve, même les
adultes. L'agent est très embarrassé : il

n'a pas d'instructions pour des cas de ce genre, peut-être vaut-il mieux consulter ses chefs.

La petite fille ne lui laisse pas le temps de prendre une décision. Elle saisit le petit bonhomme par la main :

– Viens ! dit-elle, et elle l'entraîne.

L'agent est de plus en plus perplexe : l'affaire s'est encore compliquée. Heureusement qu'il reste un point sur lequel il ne risque pas de se tromper.

– Circulez ! ordonne-t-il. Ne gênez pas la circulation !

La petite fille, cependant, s'est éloignée avec l'étrange bonhomme.

– Je me suis bien débrouillée, hein ? Si je n'avais pas inventé cette histoire, on t'aurait arrêté.

– Où m'emmènes-tu ?

– Chez moi. N'essaie pas de faire le malin avec moi, je t'ai reconnu tout de suite.

– Ah bon ?

Il est tout content d'avoir été reconnu par cette petite fille blonde, bien qu'il ne sache pas ce qu'elle a reconnu. Il la suit volontiers, il est heureux de lui donner la main.

– Ciao ! répète-t-il.

– Ciao ! Mais tu ne sais rien dire d'autre ? Allons, dépêche-toi, j'ai hâte de te montrer à papa.

– Papa !

– Je suis ici, Colombine, au laboratoire.

Colombine fait irruption dans le laboratoire. Son père, en blouse blanche, lui tourne le dos. Craie en main, il fixe un immense tableau noir rempli de chiffres, fractions, équations : depuis des jours et

des jours il cherche à résoudre un problème extrêmement compliqué.

– Papa, devine ce que j'ai trouvé dans la rue : un atome !

– Ne dis pas de bêtises, répond son père sans se retourner. Les atomes sont si petits que même avec le microscope le plus puissant du monde tu ne pourrais pas les voir.

C'est qu'en matière d'atomes il s'y connaît, Zacharie : cela fait des années qu'il les étudie, il est professeur de physique nucléaire. Précisément en ce moment, il est en train d'essayer de résoudre un très difficile calcul atomique.

— Je le sais qu'ils sont invisibles ! s'insurge Colombine. Ma parole, tu me prends pour grand-mère qui n'y comprend rien ! N'empêche que c'est bel et bien un atome, que veux-tu que je te dise ? Regarde toi-même !

À contrecœur, le professeur Zacharie détourne les yeux de son tableau : Colombine est si intelligente, mais parfois elle a de ces idées...

— Tu sais, aujourd'hui tu n'es vraiment pas drôle, ronchonne-t-il, et je n'aime pas beaucoup qu'on me dérange pendant que je travaille...

Mais, à l'instant où son regard se pose sur le compagnon de Colombine, les yeux lui sortent de la tête.

— Tu ne vas quand même pas prétendre que ce n'est pas un atome ! triomphe Colombine. Alors, papa, j'avais raison ou pas ? Réponds !

Sa question reste sans réponse : désormais son père ne l'entend plus, ne la voit plus. Il a tout oublié : ses calculs, sa fille, lui-même, le monde entier. Il a l'air halluciné, comme s'il voyait un mirage.

– Un a... un a..., bégaie-t-il. Oui oui, c'est un a... un atome grand comme un enfant !

Il le touche, le palpe, le flaire.

– Incroyable ! Impossible ! Inconcevable !

Et pourtant il existe, ce n'est pas un mirage.

Zacharie court prendre un compteur Geiger pour mesurer sa radioactivité. Mais, à peine l'a-t-il approché de l'étrange bonhomme, patatrac !... le compteur explose.

– Inimaginable ! Il est archiplein de radioactivité, c'est une mine d'énergie nucléaire !

Le professeur saisit un mètre, un stéthoscope, un microscope, et commence à ausculter, à mesurer, à scruter...

L'objet de toutes ces attentions reste immobile, les yeux fixés sur Colombine.

– D'où viens-tu ? demande-t-elle.

Pas de réponse.

– Où habites-tu ? Enfin, pourquoi me regardes-tu ainsi ? Tu dois bien avoir une maison, non ?

— Une maison ? Qu'est-ce que c'est ?

Zacharie sursaute, abasourdi :

— Il parle ! Un atome géant et parlant !
Merveilleux ! Formidable !

Et le voilà qui se replonge dans ses
examens, cette fois pour essayer de
comprendre d'où lui vient cette voix.

— Tu es vraiment crétin, s'énerve Colombine. Est-ce possible que tu ne saches
pas ce qu'est une maison ? Où vis-tu ? Tu
habites avec ta maman ?

— Ma maman ?

— Oui, ta maman, ton papa ! Tout le
monde a un papa et une maman. Tu dois
bien en avoir toi aussi !

— Peut-être, puisque c'est toi qui le dis.
Mais explique-moi ce que c'est.

Tout à coup Colombine saisit la situation et change de ton :

— Oh ! le pauvre... Excuse-moi. Maintenant je comprends tout : tu es un pauvre
atome orphelin, sans maison, seul au
monde... Quel est ton nom ?

— Mon nom ? Qu'est-ce que c'est ?

— Voyons, c'est le mot avec lequel on
appelle une personne !

Désolé, il fait non de la tête, tout

honteux de n'avoir même pas de nom.
Colombine est de plus en plus émue :
— Le pauvre, il est vraiment démuni de
tout. Ne t'inquiète pas, tu vas rester avec
nous, ainsi tu auras une maison, et nous
te donnerons un nom. Papa, comment
allons-nous l'appeler ?

Mais Zacharie ne l'entend même pas,
occupé qu'il est à ausculter avec son
stéthoscope.

— Voyons..., réfléchit Colombine. Il te
faut un beau nom. Je ne peux pas
t'appeler Paul ou Jean. Il faut un nom
d'atome... J'ai trouvé ! Je t'appellerai
Atome-Pouce. Ça te plaît ?
— Atome-Pouce ?... Oui, c'est beau. Alors,
c'est le mot qui sert à m'appeler ? Tu
verras, quand tu le diras, j'arriverai au
pas de course !
— Raconte-moi quelque chose de toi,
Atome-Pouce. Que sais-tu faire ?

Atome-Pouce fit un geste comme pour
dire : un tas de choses.
— Quel prétentieux ! Je parie que tu ne
sais même pas combien ça fait deux fois
deux.

Atome-Pouce regarda l'immense tableau noir rempli de chiffres, de fractions, d'équations, de logarithmes, puis prit un bout de craie et en bas, après le signe =, écrivit : 43 768 914,000 000 005.

Zacharie consulta ses calculs.

— Ahurissant ! s'écria-t-il. Pour résoudre un pareil calcul, il m'aurait fallu des mois et des mois ! J'étais dans le noir complet. Merci, en un clin d'œil tu m'as éclairé !

— Ah ! vous aimez être éclairé ? demanda Atome-Pouce avec sollicitude. Vous savez, je peux faire mieux.

Il posa la main sur un meuble métallique et, comme si c'était le filament d'une ampoule, le meuble rayonna d'une lumière aveuglante.

— Mille millions d'électrons ! Tu développes autant d'énergie qu'une centrale électrique ! C'est fabuleux !

— Merde alors ! s'exclama Colombine. Tu es drôlement fort !

Heureusement pour elle, son père était trop médusé pour faire attention à ce « merde alors », expression, prétendait-il, hautement vulgaire.

— Ma foi oui, je suis assez fort, convint Atome-Pouce.

Avec un doigt il tapota légèrement la table et celle-ci se fracassa comme si un gros rocher était tombé dessus.

— Je peux faire encore mieux si vous voulez, ajouta-t-il.

— Non non, de grâce, je te crois sur parole, supplia Zacharie. Si les atomes, qui sont infiniment petits, contiennent d'énormes quantités d'énergie, toi, qui es si gros, tu dois posséder une force démesurée. Cela fait des années que j'étudie toutes sortes d'atomes sans même pouvoir les apercevoir, et voilà que maintenant j'ai la chance inouïe d'en avoir un grand comme toi en face de moi, vivant et avec qui je peux parler. Je te suis si reconnaissant de rester avec nous : tu seras très utile à la science.

— Hé là, papa ! protesta Colombine. Que les choses soient bien claires entre nous. C'est moi qui ai trouvé Atome-Pouce, donc il est à moi. Si tu veux l'étudier, je peux te le prêter quelquefois, mais entendons-nous bien : il m'appartient et c'est moi qui jouerai avec lui !

Atome-Pouce les regardait. Tous ces compliments et ce déchaînement d'admiration le laissaient indifférent. Une

seule chose le rendait vraiment heureux :
il allait rester dans cette maison, avec
cette petite fille qui l'avait pris par la
main et qui lui avait même donné un
nom.

4. Le tram volant

Durant toute la nuit, le professeur Zacharie examina Atome-Pouce dans son laboratoire : il le mesurait, le pesait, l'interrogeait, et ne cessait de s'exclamer :
– Fantastique ! Extraordinaire !

A vrai dire, Atome-Pouce ne se trouvait rien d'extraordinaire. Il se sentait parfaitement normal. Toutefois, assis bien sagement sur un tabouret, il se prêtait volontiers à toutes ces expériences.

Mais le matin à huit heures il bondit sur ses pieds comme s'il avait entendu une sonnerie de trompette. Colombine venait de l'appeler. C'était dimanche et elle n'allait pas à l'école. Sa toilette faite, en dix minutes elle avait déjà rangé la maison. Elle fit irruption dans le laboratoire :

— Ça suffit, papa ! dit-elle. Maintenant rends-moi Atome-Pouce.

— Tu as raison, répondit Zacharie. Va, Atome-Pouce, va t'amuser avec Colombine.

Atome-Pouce ne se le fit pas dire deux fois.

— On joue ? proposa Colombine. Tu sais, je suis presque toujours seule : je n'ai ni frères ni sœurs et ma mère est morte quand j'étais toute petite. Il m'arrive parfois de voir des amis, mais en général ils m'ennuient, ils sont tellement bêtes. Ou bien je vais rendre visite à grand-mère, la maman de ma mère. Elle est bien gentille, mais enfin, la pauvre, elle n'a pas inventé la poudre. Tu sais, moi, je suis très intelligente, c'est pourquoi j'ai des goûts difficiles. Maintenant c'est toi qui vas me tenir compagnie. Tu verras, on s'amusera bien. On joue au meccano ?

Atome-Pouce était prêt à jouer à n'importe quel jeu pour la contenter, si ce n'est qu'il n'en connaissait pas un seul.

— Allez, on construit un bel immeuble, décida Colombine en ouvrant une grosse boîte de meccano. Mais pas un immeuble quelconque : on va faire une unité d'habitation style Le Corbusier.

— D'accord, je m'en occupe, dit Atome-Pouce, et il saisit une poignée de pièces de fer.

Colombine blêmit : comme si c'était de l'argile, il pétrissait le fer qui fondait entre ses mains ; en un éclair il fabriqua un immeuble.

— Ça te plaît ? demanda-t-il, satisfait.

— Ignorant ! En fait de Le Corbusier, c'est plutôt du style caserne ou prison, et ce n'est pas au meccano que tu as joué, mais à faire le forgeron !

Atome-Pouce était très vexé.

— Patience, dit Colombine. Si tu n'as pas une vocation d'architecte, tu en as peut-être au moins une de sportif : jouons au ping-pong.

Mais au premier coup de raquette Atome-Pouce brisa la balle.

— Je le sais que tu es très costaud, trépigna Colombine. Ce n'est pas la peine de faire le malin !

– Essayons un autre jeu, balbutia Atome-Pouce, humilié. Tu verras, je ferai bien attention.

– Non, tu m'as enlevé l'envie de jouer. Sortons faire un tour en ville.

Ils sortirent, et Colombine proposa :

– Prenons ce tram.

– D'accord, ne te dérange pas, je m'en occupe, répondit aussitôt Atome-Pouce.

Il courut à l'arrêt du tram, souleva celui-ci comme un fétu de paille et vint le déposer devant Colombine ahurie. Mais plus ahuris encore étaient les passagers et le conducteur du tram.

– Que fais-tu ? cria Colombine. Tu es devenu fou ?

– C'est toi qui m'as dit de prendre le tram, alors je l'ai pris...

– Décidément, tu es complètement bouché ! Je voulais dire que nous allions y monter. Remets-le tout de suite à sa place !

Atome-Pouce obéit : ballottés dans tous les sens, les passagers se retrouvèrent sur les rails.

– Excuse-moi, je n'ai pas l'habitude, se justifia Atome-Pouce. Mais maintenant j'ai bien compris : tu as dit que nous devons y monter, n'est-ce pas ?

Il prit Colombine dans ses bras et, d'un bond, sauta sur le toit de la voiture.

– Voilà, nous sommes montés.

Pourquoi Colombine le regardait-elle de cette façon, et pourquoi le conducteur et les passagers faisaient-ils un tel tapage ? Pourtant cette fois il avait obéi à la perfection.

– L'électricité ! cria le conducteur. On ne part pas sans l'électricité !

En effet, la perche du tram s'était décrochée.

– Ne vous inquiétez pas, je m'en occupe, déclara Atome-Pouce, toujours prêt à rendre service.

Il empoigna la perche comme un guidon et aussitôt le tram démarra. Mais ce n'était plus un tram, c'était une auto de course. La voiture fonçait à tombeau ouvert. Finalement elle décolla du sol comme un avion et commença à survoler les toits de la ville.

Cette fois Colombine ne protesta pas ; c'étaient les passagers qui protestaient, hurlant de terreur, mais elle ne les entendait même pas : pour la première fois de sa vie elle volait, et c'était très beau. Atome-Pouce, manœuvrant la perche, prenait des virages sur l'aile, descendait en piqué, remontait.

— Regarde, disait Colombine, notre maison... Et là-bas, c'est celle de grand-mère... Voilà le cimetière où repose ma maman... Monte encore plus haut !

Atome-Pouce obéit, heureux de pouvoir enfin la contenter.

— Merde alors, tu es un type épatant ! déclara Colombine. Je crois que nous allons devenir de très bons amis. D'ailleurs nous le sommes déjà.

De joie, Atome-Pouce lança le tram dans une série d'acrobaties et de loopings. Il effleura même un avion qui passait.

— Au secours ! cria le pilote, et il sauta en parachute en continuant à crier : A l'aide ! Enfermez-moi dans un asile : j'ai des hallucinations, je vois un tram volant !

Agrippés aux poignées, les passagers hurlaient :

— Nous avons payé un billet de tram, pas d'avion ! Ramenez-nous sur terre !

— Quels froussards ! s'esclaffa Colombine. Bon, ça va, atterrissons.

Atome-Pouce fit un atterrissage impeccable sur les rails, et Colombine l'entraîna au pas de course avant que les passagers n'aient eu le temps de descendre.

Pendant le déjeuner, Atome-Pouce s'efforça de rester assis bien sagement comme sa compagne le lui avait ordonné, mais, dès qu'il saisissait un couteau ou une fourchette, il les réduisait en miettes.

— Fais attention, Atome-Pouce, tu finiras par détruire tous les couverts de la maison !... Il faut prendre ton verre délicatement !... Ne t'appuie pas à la table, tu vas la casser !... Regarde-moi ça, papa : on dirait qu'il n'a jamais mangé de sa vie !

Le pauvre Atome-Pouce, tout penaud, se rendait compte qu'il n'en ratait pas une.

— Pourquoi restes-tu là comme un emplâtre ? Mange donc cette assiette de spaghetti !

Obéissant tout de suite, il empoigna

l'assiette et l'engloutit avec les spaghetti.
– Idiot, tu ne comprends rien à rien !
– Ne le gronde pas, Colombine, intervint
Zacharie. N'oublie pas que c'est un
atome : il est ingénu et doit tout apprendre.
– J'apprendrai ! jura Atome-Pouce. J'apprendrai l'architecture, le meccano, le
ping-pong, les bonnes manières, et je
ferai tout ce que vous voudrez !

Le soir, après le dîner, Colombine
alluma la télévision. On retransmettait
en direct un match de boxe : un petit
maigrichon, blond comme elle, se battait
contre une espèce de gros singe poilu.
Aussitôt Colombine prit parti pour le
blondinet :
– Allez, vas-y ! Mets-le K.-O. !
Mais le blondinet encaissait les coups.
– Vas-y !... Merde alors, frappe-le au
menton !... Oh ! non, le voilà encore au
tapis ! Qu'est-ce qu'il lui met ce saligaud !
Le blondinet, en effet, oscillait comme
un pendule, des gants de son adversaire
aux cordes et des cordes aux gants de son
adversaire déchaîné.

Atome-Pouce, lui, ne regardait pas l'écran mais Colombine, et souffrait beaucoup de la voir dans cet état.

— Saligaud de gros singe ! Merde alors, si au moins l'autre lui écrasait le museau !

— Je m'en occupe, déclara Atome-Pouce, et d'un bond il franchit la porte.

— Où vas-tu ? cria Colombine. Reviens à la maison !

Mais Atome-Pouce était déjà trop loin pour pouvoir l'entendre.

Quelques secondes suffirent pour que Colombine comprenne où il était allé : au Palais des sports. Il y était arrivé à la vitesse d'un éclair et en effet, sur l'écran, elle le vit fendre la foule des spectateurs et foncer sur le ring.

— Il se passe une chose très étrange, commenta tout excité le speaker de la télévision : une invasion de ring ! Un drôle de personnage vient de sauter entre les cordes !

Ébahis, les deux boxeurs et l'arbitre regardaient Atome-Pouce, qui n'était pas pour autant intimidé, loin de là.

— Espèce de goujat ! dit-il au boxeur poilu. Je vais t'apprendre, moi, à frapper le chouchou de Colombine !

Et, ce disant, il lui décocha un superbe direct du droit. Comme une boule de billard, le boxeur rebondit six fois entre les cordes et finit au tapis, K.-O.

Atome-Pouce saisit le blondinet par le poignet et lui leva le bras.

– Colombine, hurla-t-il, ton boxeur a gagné !

Puis il sauta en bas du ring et fendit à nouveau la foule abasourdie. Colombine, qui avait assisté à toute la scène, le vit disparaître de l'écran de télévision. Un instant après, elle entendit le sifflement d'une fusée qui arrivait ; la porte d'entrée claqua : Atome-Pouce était là, devant elle.

– Contente ? dit-il, rayonnant. Tu as exprimé un vœu : le voici exaucé.

– Tu n'as pas honte ? C'est contre toutes les règles : tu ne comprends rien au sport ! Va te coucher, tout de suite !

Il alla au lit, tout penaud. Décidément, le monde des hommes était bien étrange : il en avait des choses à apprendre !

Un peu plus tard Colombine vint se coucher sur le petit lit à côté du sien.

– Tu es toujours fâchée ? lui demanda-t-il timidement.

— Non. Mais maintenant il faut dormir. Demain matin je dois me lever tôt pour aller à l'école.

Atome-Pouce ne parvenait pas à s'endormir : il était triste et réfléchissait. Colombine était si intelligente, elle connaissait un tas de choses : les noms des architectes, le jeu du meccano, les règles de la bienséance et aussi celles de la boxe. Et puis elle était si bonne : elle l'avait sauvé des mains de l'agent et emmené chez elle, elle lui avait même donné un nom. Il en avait de la chance d'être tombé sur elle ; mais lui, belle gratitude, en une seule journée il lui en avait fait voir de toutes les couleurs. N'arriverait-il donc jamais a lui être agréable ?

Colombine, elle non plus, ne dormait pas. « Quelle chance inouïe de l'avoir rencontré, pensait-elle. Mais papa a raison : il est si naïf et a tant de choses à apprendre... C'est moi qui les lui apprendrai, parole de Colombine ! »

5. Portrait de Colombine

Colombine, mieux vaut le dire tout de suite, était parfois insupportable. Par exemple à l'école. Elle savait tout. Croyez-vous qu'elle aurait donné à ses professeurs la satisfaction de lui mettre un quatre, disons même à la rigueur un sept ? Jamais de la vie ! Elle n'avait que d'excellentes notes.

Il suffisait que le professeur commence à dire : « Qui est-ce qui sait... ? » pour qu'aussitôt, sans même lui laisser le temps de poser la question, elle bondisse sur ses pieds en criant : « Moi ! »

Et le fait est que ses réponses étaient

toujours justes, quelle que fût la question. Elle apprenait facilement, parce qu'elle était convaincue que n'importe qui pouvait tout comprendre, et elle ne pensait jamais : « Ça, c'est trop difficile pour moi. » Ou bien : « Moi je suis une fille, je ne peux pas comprendre ça. »
— Voyons, Colombine, affirmaient certaines de ses camarades, il y a un tas de choses qui ne sont pas pour nous : la physique, les mathématiques, la politique...

Elle se mettait en colère quand elle entendait des propos de ce genre :
— Merde alors, nous autres les filles nous n'avons donc pas un cerveau comme les garçons ? Mais vous, votre cerveau, vous ne l'employez que pour vous occuper de chansonnettes, d'histoires d'amour, d'acteurs idiots. Pia-pia-pia, pia-pia-pia : vous ne faites que piapiater sur des âneries !

Naturellement, avec de pareilles idées, elle scandalisait beaucoup de ses camarades ; mais en même temps elles l'enviaient, car elle s'intéressait à tout et ne s'ennuyait jamais.

Tous les dimanches elle allait voir sa

grand-mère, et l'été elle passait les vacances avec elle parce que son papa restait en ville à travailler.

La grand-mère était heureuse de l'emmener en villégiature. Le soir, à l'hôtel, quand Colombine était au lit, elle voulait lui raconter une histoire.

— Tu la connais, celle du Petit Chaperon rouge ?

— Bien sûr, grand-mère.

— Et celle de la Belle au bois dormant ?

— Tu parles, je la sais par cœur !

N'empêche que la grand-mère finissait toujours par lui en raconter une, qu'elle la connaisse ou pas. Elle y mettait tout son cœur, persuadée que sa petite-fille était ravie de l'écouter. Mais Colombine n'aimait pas les contes, du moins ceux de sa grand-mère, avec ces fées angéliques et ces princesses si bonnes qu'elles semblaient stupides, ou ces jeunes filles qui ne rêvaient que de princes charmants et de beaux chevaliers. Il ne s'en serait pas trouvé une seule pour se demander si ce prince ou ce chevalier était intelligent : pensez-vous, il ne devait être que courageux, beau et riche. Tout à fait le genre de types qui faisaient tourner la tête à ses camarades d'école. Merde alors, enfin quoi, toutes ces vieilleries en pleine ère atomique !

Immanquablement elle s'endormait, mais d'ennui.

Quelquefois, cependant, c'était Colombine qui racontait une histoire à sa grand-mère, naturellement de celles qu'elle aimait inventer, peuplées de machines prodigieuses, de cerveaux électroniques qui raisonnaient mieux que des philosophes ; des aventures de savants comme son père (eux, pour le coup, oui, c'étaient de vrais magiciens !), ou bien de petites filles qui devenaient ministres et promulguaient des lois magnifiques (par exemple le remplacement du ministère de la Guerre par le ministère de la Paix), ou encore de cosmonautes qui débarquaient sur Vénus avec leurs vaisseaux spatiaux...

– Ah ! oui, marmonnait la grand-mère, toutes ces diableries d'aujourd'hui..., et ses yeux se fermaient et elle piquait du nez.

« Nous sommes vraiment différentes », pensait Colombine. Elle était gentille et elle l'aimait bien, sa grand-mère, mais elle avait de ces idées ! On aurait dit qu'elle les prenait dans un vieux tiroir poussiéreux. Toutes ses phrases commençaient par « Il ne faut pas faire... Il ne faut pas dire... Ce n'est pas bien de... Une petite fille comme il faut ne doit pas... »

– Ne te mêle pas aux garçons, Colombine, ce n'est pas bien...

– Colombine, maintenant tu es une grande fille, comporte-toi en demoiselle...

« Merde alors ! pensait Colombine. Pour elle, se comporter en demoiselle, ça signifie faire la momie, ne pas froisser sa robe neuve et rester collée à sa chaise, raide comme la justice, muette comme une carpe, avec une tête d'enterrement ! »

– Quoi ? Tu parles de politique ? Mais ce ne sont pas des conversations pour une enfant de ton âge !

« Et pourquoi pas ? Je vis peut-être sur la Lune, moi ? Papa dit que tout ce qui se passe sur la Terre nous concerne tous, grands et petits. »

– Comme tu es étrange, Colombine. Avec

ton fichu caractère et les idées que tu as, tu ne te marieras jamais.

« Pourquoi ? Pour se marier il faut donc être crétine et dire toujours oui ? Et puis, si être sincère et vouloir faire marcher sa cervelle signifie être étrange, merde alors, je préfère être étrange. D'ailleurs, papa m'aime bien comme ça, il s'amuse beaucoup à discuter avec moi. »

Mais avec grand-mère, il était inutile de discuter. Aussi, un peu par respect, un peu pour ne pas la scandaliser, toutes ces réponses, elle se limitait à les penser. Il en était de même pour les choses qui au contraire réjouissaient tant la grand-mère.

– Très bien, Colombine : tu as fait les lits et balayé partout. Tu es une bonne petite ménagère !

« Merde alors, moi le ménage je le fais parce qu'il faut bien que je le fasse, pas pour m'amuser ! Et pas question d'y perdre mon temps : en une demi-heure, c'est terminé et bon débarras ! »

– Colombine, tu as lu cet article sur le mariage de la princesse de Luxembourg ? Regarde la magnifique robe de mariée qu'elle portait...

– Oui, grand-mère, elle est très belle...

Mais ce disant elle pensait : « Gna-gna-gna... La princesse de Calembour s'est mariée avec le baron de Niguedouille... La reine de Rigolande a eu un beau bébé qui pèse trois kilos cinq cent soixante-sept grammes... La célèbre actrice Zazie Zozote a déclaré qu'elle préfère le gruyère au camembert... Merde alors, qu'est-ce que c'est que ce journal : *Le Courrier du handicapé mental* ? »

Bon, c'est vrai, encore une fois, elle était très gentille et elle l'aimait bien, sa grand-mère, mais quelle barbe, ces deux mois de villégiature passés en sa compagnie !

« Pauvre grand-mère, pensait-elle, ça te ferait tellement de peine si je te disais la vérité ; et pourtant, franchement, je m'amuserais beaucoup plus en colonie de vacances. »

« Où avec ma maman. »

Sa maman lui manquait : c'était un vide, une sensation étrange, comme si elle se regardait dans une glace et ne s'y voyait pas. Quelle grande injustice qu'elle fût morte ! Pourquoi n'avait-elle pas pu lui donner tout l'amour qu'elle éprouvait pour elle ? C'était comme si elle sentait pousser en elle toutes sortes de fleurs sans pouvoir les lui offrir. Ce devait être merveilleux de vivre avec une maman qui vous comprend. A coup sûr elle aurait été différente de grand-mère et de tant de mères qu'elle connaissait. Un papa intelligent comme le sien n'aurait pas pu épouser une femme du genre de celles qui font pia-pia-pia.

Heureusement qu'elle l'avait, son papa chéri. Que de choses il était pour elle ! En même temps un père, un ami, un maître, un conseiller, parfois même un complice quand il l'aidait à inventer des poissons d'avril, par exemple en envoyant des invitations gratuites pour un concert qui n'existait pas.

Elle pouvait lui parler de n'importe quoi, il prenait tout au sérieux, même les histoires qu'elle imaginait.

« Quelle chance d'avoir un papa intelligent ! pensait-elle. Il m'explique les atomes, l'astronomie, la politique, même les règles du football. Car il a beau être un grand savant, il ne se donne pas de grands airs et ce n'est pas un rabat-joie, loin de là. Lorsqu'il a le temps (dommage qu'il en ait si peu !), il adore jouer avec moi : aux échecs il gagne toujours, mais au baby-foot, c'est moi qui le bats, et il faut voir comme ça l'embête ! Mais je l'aime aussi pour une autre raison : parce qu'il regrette ma maman. Je m'en rends compte quand il regarde la photo qui se trouve sur sa table de travail. C'est pourquoi je me suis juré de faire en sorte qu'elle lui manque le moins possible. »

Bref, insupportable par certains côtés, Colombine était par ailleurs très sympathique. Et elle était à la fois insupportable et très sympathique chaque fois qu'elle abordait certains sujets avec ses camarades d'école :

– Mais enfin, criait-elle, qu'est-ce que tu as dans la tête ? De la farine de maïs ? Si tes parents ne te parlent pas de ces choses, ils ont tort et architort ! Nous aussi nous devons protester contre les dictateurs, les guerres, les bombes atomiques ! Si les adultes ne comprennent pas ça, c'est qu'ils sont des ignorants ! Tu sais, moi, en matière d'atomes, de centrales et de bombes atomiques, j'en connais un bout !

Tout à fait exact : c'est pourquoi elle avait aussitôt reconnu Atome-Pouce.

Hé oui, Atome-Pouce : maintenant il était entré dans sa vie, et elle s'était promis de tout lui apprendre.

– J'en suis capable, je ne suis pas une de ces piapiateuses gnangnan, moi : je suis intelligente, merde alors !

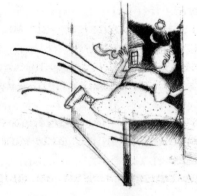

6. Colombine donne un bal

Colombine débuta par les choses les plus simples : elle lui apprit à se servir d'une fourchette, à ne pas manger les assiettes, à faire son lit, à répondre au téléphone.

Sévère et autoritaire, elle le faisait marcher à la baguette :
— On ne joue plus : commençons la leçon. Ne ris pas, maintenant il faut être sérieux.
— Maintenant on joue, détends-toi.
— Maintenant ça suffit : aide-moi à faire le ménage.

Atome-Pouce obéissait au doigt et à

l'œil, ce qui ne l'empêchait pas d'accumuler les bêtises. Colombine lui dit qu'à peine levé il devait se laver bien comme il faut : aussitôt il se fourra dans la machine à laver et la fit éclater en morceaux. Quand elle rentrait de l'école, il courait lui ouvrir avec une telle joie que la poignée de la porte lui restait chaque fois dans la main.

A chaque bêtise Colombine le punissait et il ne protestait jamais. Il se sentait si bien avec elle qu'il aurait voulu qu'elle fût toujours là, mais elle disparaissait pour aller à l'école. Il attendait anxieusement son retour, et les aiguilles du réveil tournaient si lentement qu'il était souvent tenté de les aider à avancer.

Lorsqu'elle était à l'école, Atome-Pouce restait en compagnie de Zacharie qui l'étudiait. A la différence de sa fille, le professeur était très indulgent et compréhensif : au laboratoire, pendant les brèves pauses entre deux séances de travail, il lui parlait comme à un fils :
— Ne te tourmente pas pour les reproches de Colombine. Elle a un très bon fond. Bien sûr, elle est un peu étrange, mais il faut la comprendre : elle a

toujours vécu seule, sans frères ni sœurs, et elle était toute petite quand elle a perdu sa maman.

– Je comprends, répondait Atome-Pouce, bien qu'en réalité il n'eût pas la moindre expérience en matière de mamans.

Toutefois il sentait bien qu'il manquait quelque chose à Colombine, et c'est pourquoi il était toujours très patient et plein d'attentions à son égard.

– Je le sais bien que tu ne t'amuses pas avec moi, Atome-Pouce, disait Zacharie. Tu es un atome, mais un atome-enfant, et il est naturel que tu aies envie de jouer. Mais que veux-tu, j'ai tellement besoin de t'étudier. Car tu m'as inspiré un grand projet. Le rêve de tout savant digne de ce nom est d'aider les gens à vivre mieux, et l'énergie atomique peut servir à créer de nouvelles industries, à se chauffer, à se soigner, à voyager, à nourrir tous ceux qui ont faim. Toi tu en as à revendre et j'ai l'intention de l'utiliser dans l'intérêt de tous. Tel est mon rêve, et grâce à toi je pourrai le réaliser. Tu m'aideras, n'est-ce pas ?

– Certes !

Mais Zacharie ne pensait pas seulement à son projet, il s'efforçait aussi de mettre en garde Atome-Pouce contre certains dangers.

— Vous autres atomes contenez une force immense, surtout toi, avec la taille que tu as. Votre force peut être bonne ou mauvaise selon l'usage qu'on en fait. Malheureusement, il y a des gens qui voudraient l'utiliser pour faire du mal, en fabriquant de terribles armes de guerre. Comme tu n'as aucune expérience du monde, tu dois être toujours très vigilant et ne jamais permettre que ton énergie soit détournée à des fins guerrières.

— Maintenant je comprends ! s'exclama Atome-Pouce. Alors, c'était précisément ce que me demandaient un certain général Siméon et un savant qui s'appelle Von Baoum. Ils parlaient de bombes, d'armes atomiques...

— Von Baoum ! Je le connais de nom, dit Zacharie avec une grimace. C'est un savant sans conscience, de ceux qui se mettent toujours au garde-à-vous devant les généraux. Surtout, n'accepte jamais les propositions de ces gens-là : beaucoup de papas, beaucoup de mamans, beaucoup d'enfants en souffriraient...

– Colombine aussi ?

– Naturellement !

– Je vous le jure ! Je ne ferai jamais rien qui puisse causer du mal, en particulier à Colombine !

Atome-Pouce n'éprouvait aucun orgueil d'être si important. Seules les louanges de Colombine lui auraient fait plaisir. Aussi cherchait-il à la contenter en tout. Mais, malgré ses efforts, il n'y parvenait pas.

Un jour Colombine demanda à son père la permission d'organiser une petite fête pour présenter Atome-Pouce à ses camarades d'école. Pour Atome-Pouce, ce fut une révélation merveilleuse : alors, même si elle passait son temps à lui faire des reproches, elle n'avait pas honte de lui ! Il n'était qu'un pauvre atome seul au monde, orphelin, sans domicile fixe, et pourtant elle lui avait donné un nom, une maison, une famille, et voilà que maintenant elle offrait même une fête en son honneur !

Zacharie s'enferma dans son laboratoire, tandis que Colombine préparait toutes sortes de sandwiches et remplissait une table de bouteilles de boissons.

Avant l'arrivée des invités, elle fit bien la leçon à Atome-Pouce :

— Ne fais pas le malin, ne serre pas les mains trop fort, ne brûle personne, ne fais pas de bêtises avec l'électricité !

— Promis juré, Colombine, tu verras que tu seras fière de moi.

On frappa. Colombine courut ouvrir, laissant Atome-Pouce très ému dans le séjour.

De l'entrée parvint un chœur de voix.

— Salut, Colombine, où est ce fameux atome dont tu nous as tant parlé ?

Ils étaient tous curieux, surtout les filles.

— Comment est-il ? Blond ? Il est grand ? Mince ? A quel acteur ressemble-t-il ?

Atome-Pouce se regarda dans la glace : il n'était ni blond, ni grand, ni mince, Colombine allait sûrement avoir honte de lui. Mais, à sa grande surprise, il l'entendit déclarer :

— C'est un type extraordinaire ! Venez, je vous le présente.

Quand la joyeuse bande fit irruption

dans le séjour, Atome-Pouce tremblait d'émotion.

– Ciao ! dit-il timidement.

– Comme il est original ! s'exclama une fille.

– Et sympathique !

– Et fascinant ! Combien l'as-tu payé, Colombine ? Tu me le vends ?

Désespéré, Atome-Pouce regarda Colombine : et si elle allait le vendre ? Mais elle répondit :

– Tu es folle ! Je ne le donnerais pas pour tout l'or du monde !

– Que d'histoires pour un atome ! intervint Armand, le plus grand et le plus robuste de tous. Vous ne voyez donc pas comme il est ridicule ? Regardez ces minables bras maigrichons...

– Attention, Armand, s'insurgea Colombine, Atome-Pouce est un million de fois plus fort que toi !

– Quoi ? Cette espèce de pantin ? ricana Armand. On va voir ça tout de suite : qu'est-ce que tu préfères, Atome-Pouce, la lutte ou la boxe ? (Et il se mit en garde.) Alors quoi, tu as peur ?

Voyant ces poings menaçants sous son

nez, Atome-Pouce regarda Colombine :
que devait-il faire ?

— Gare à toi si tu l'effleures seulement du
doigt ! dit-elle, et aussitôt Atome-Pouce
fit un pas en arrière.

— Ha ha ! elle a peur que je lui abîme sa
poupée ! ricana Armand.

Les filles, elles, entouraient Atome-
Pouce : elles voulaient savoir quelle musique il aimait, quels étaient ses chan-
teurs préférés, quels acteurs lui plai-
saient. Naturellement il ne savait que
répondre : il n'avait jamais entendu
parler de tout cela.

— Il est délicieusement ingénu, remarqua une fille.

— Il doit être très romantique...

— Pour moi c'est un ignorant, trancha
Armand. Ne perdons pas notre temps
avec lui. Enlève-toi du milieu ! (Et il lui
donna une bourrade.) Allez, les filles, on
danse ?

— Oui, mais avec Atome-Pouce.

Elles voulaient toutes danser avec lui,
mais le pauvre Atome-Pouce ne savait
même pas ce que signifiait le mot
« danse ».

— Quel abruti ! dit Armand.

Colombine se retourna comme une vipère :

– L'abruti, c'est toi ! Il sait faire des choses extraordinaires que tu ne peux même pas imaginer. Donne-lui-en une preuve, Atome-Pouce.

Si Colombine comptait sur lui pour épater la galerie, il allait la contenter tout de suite. Se souvenant qu'il avait admiré dans un journal la photo d'un fakir crachant du feu, il eut l'idée de l'imiter. Mais, au lieu d'une gerbe de flammes, ce fut un petit champignon atomique qui sortit de sa bouche. Naturellement il était inoffensif, mais cela ressemblait tout à fait à une explosion nucléaire en miniature, y compris le bruit.

L'effet ne se fit pas attendre : tous les enfants se retrouvèrent à plat ventre sous la table et les chaises.

– Tu n'as pas honte ? cria Colombine. Ça ne se fait pas, des choses pareilles, même pour plaisanter ! Allez, va au coin, immédiatement !

Atome-Pouce obéit, très vexé. De honte, il avait envie de se taper la tête

contre le mur. Était-ce possible qu'il n'en
rate jamais une ?
– On danse, dit Armand, et il mit un
disque.

La danse, c'était son fort : il sautillait,
se dandinait, se trémoussait, se tortillait
comme une anguille. Plus il se démenait,
plus les filles l'admiraient.

La musique résonnait à plein volume
dans la pièce, tous s'agitaient joyeusement, et Atome-Pouce, de son coin, regardait tristement Colombine qui dansait

avec Armand. Bof ! après tout, ce n'était pas si difficile que ça, la danse : il suffisait de gigoter n'importe comment, de tricoter des bras et des jambes dans tous les sens.

Il aurait bien aimé le faire avec Colombine. Mais elle était fâchée et ne daignait même pas le regarder. Pourtant, quand la musique s'arrêta, elle vint vers lui.

– Je te pardonne, déclara-t-elle d'un ton bourru. Tu m'invites à danser ?

– Ce ne sera pas drôle avec cet abruti, intervint Armand. Danse avec moi.

Et il donna une bourrade à Atome-Pouce qui s'avançait.

Pauvre Atome-Pouce : les mains lui démangèrent tellement qu'il en sortit des étincelles. Il aimait bien tout le monde, mais il ne permettait à personne de s'interposer entre Colombine et lui. Elle l'avait invité, c'était à lui de danser avec elle. Colombine elle aussi semblait ennuyée, mais, voyant qu'Atome-Pouce ébauchait un geste de menace :

– Attention, dit-elle, souviens-toi : tu ne dois même pas l'effleurer du doigt !

Atome-Pouce se domina : les ordres de Colombine ne se discutaient pas ; mais il fallait absolument qu'il se débarrasse de ce malappris. Il se contenta donc de souffler. Comme happé par un typhon, Armand s'envola, défonça la porte, voltigea à travers le couloir et disparut par une fenêtre.

Colombine ne put s'empêcher d'éclater de rire. Ils commencèrent à danser, mais elle avait de la peine à le suivre.

Atome-Pouce sautait et se contorsionnait comme un possédé, pour montrer qu'il était plus fort qu'Armand.

— Comme il danse bien ! Quel rythme !

Ils s'étaient tous arrêtés pour le contempler.

Atome-Pouce accéléra l'allure. Tout se mit à trembler : les meubles, le plancher, le plafond, les murs.

— Bravo, c'est très bien, mais maintenant ça suffit ! ordonna Colombine.

Cependant, Atome-Pouce continuait : il tenait absolument à épater Colombine. Des morceaux de plâtre tombèrent du plafond et une armoire éclata en miettes.

— Assez ! cria Colombine.

Désormais, Atome-Pouce, déchaîné, ne l'entendait plus. Toutes les bouteilles se brisèrent, le lustre se décrocha du plafond, et Atome-Pouce continuait à tourbillonner frénétiquement, bousculant les enfants terrorisés et les projetant contre les murs.

— Assez ! hurla Colombine en tombant elle aussi les quatre fers en l'air.

Finalement Atome-Pouce se calma. Il ne restait plus que les murs écaillés et, par terre, un tas de gravats d'où les enfants émergeaient à grand-peine, endoloris et pleins de bosses.

– Merci pour la fête, dit une fille. C'était super, il y avait de l'ambiance.

– On s'est bien amusés, mais maintenant il faut que nous partions.

– Tu avais raison, Colombine, Atome-Pouce est extraordinaire : un peu trop exubérant peut-être, mais sympathique.

Couverts de poussière, les vêtements déchirés, ils s'en allèrent tous.

Dès qu'ils furent seuls, Colombine explosa :

– Tu m'as gâché ma fête ! Tu as tout cassé ! Tu es un atome complètement dépourvu d'éducation ! Tu es un voyou, un loubar, un danger public ! Tu me fais honte !

Atome-Pouce ne l'avait jamais vue dans une telle colère. Colombine ne lui adressa pas la parole de tout le reste de la journée. Heureusement, Zacharie ne lui fit pas le moindre reproche pour les dégâts qu'il avait causés.

Le soir, Colombine se coucha sans lui dire « bonne nuit ».

Atome-Pouce avait envie de pleurer.

– Dis-le-moi franchement, murmura-

t-il, tu regrettes de m'avoir pris chez toi ?
Si c'est vrai, je m'en vais, comme ça tu
n'auras plus honte de moi. Ou bien
même, si tu veux, vends-moi : avec cet
argent tu pourras payer les dégâts.
– Ne dis pas d'imbécillités, fit Colombine. On ne vend pas un petit frère.

Un petit frère ? Elle avait vraiment
employé ce mot ! Mais alors elle l'aimait
bien quand même, malgré toutes les
bêtises qu'il accumulait. C'était merveilleux : il n'était plus un pauvre atome seul
au monde, il avait une sœur !

– Comme c'est beau ce que tu as dit,
Colombine ! Je suis si heureux ! Certes, je
comprends que tu préférerais un véri-
table petit frère, en chair et en os, mais...
– Tu me plais comme tu es, avec tous tes
défauts.
– Je sais, je suis étourdi, naïf, désor-
donné, ignorant... C'est vrai ?
– Eh bien oui, c'est vrai.
– Et c'est également vrai que je devrais
m'instruire, apprendre un tas de choses ?
– Tu en as le plus grand besoin.

De joie, Atome-Pouce bondit sur son
lit, secoué d'une décharge électrique qui
éclaira toute la pièce.

– Hourra ! Alors tu ne peux pas refuser de m'emmener à l'école avec toi !

Il le désirait tant : ainsi il resterait toujours en sa compagnie.

– Mais papa a besoin de toi pour ses recherches...

– Je travaillerai avec lui le soir, toute la nuit !

– Soit, dit Colombine.

7. Atome-Pouce à l'école

Portant fièrement son cartable neuf bourré de livres, de cahiers et de crayons, Atome-Pouce accompagna Colombine au collège et prit place à côté d'elle.

Très attentif, il ne prêtait pas la moindre attention aux autres élèves qui le dévisageaient avec curiosité. Il était avec Colombine et de plus il allait apprendre un tas de choses : elle ne pourrait plus lui reprocher d'être un ignorant.

Ce jour-là le professeur de sciences expliquait justement les atomes. A un certain moment il demanda :

– Voyons si vous avez compris : qui est

capable de me dire ce qu'est un atome ?

Colombine avait une envie folle de lever le doigt mais se retenait pour ne pas donner le mauvais exemple à Atome-Pouce. En fait, c'est lui qui bondit de sa chaise et courut au tableau : en un éclair il dessina de parfaits schémas de la structure des atomes, expliqua que les atomes forment les molécules et que tout est à base d'atomes.

– Bien ! commenta le professeur.

Atome-Pouce jubilait, tout content d'é-taler son savoir.

– Tout ce qui existe est fait d'atomes, poursuivit-il, ce tableau, ces tables, ces chaises, ces fleurs sur le rebord de la fenêtre, même l'air, même Colombine, même vous, monsieur...

Quelle joie quand il y pensait : il se sentait proche parent de toutes les choses et de tous les êtres du monde, car chaque chose, chaque être était constitué d'atomes comme lui, de milliards d'atomes...

Il était tellement plongé dans ces profondes et enthousiasmantes ré-flexions sur les lois de l'univers qu'il n'entendit pas sonner la fin de l'heure.

— C'est vraiment très bien, conclut le professeur. Mais, avant de t'accepter dans cette classe, il faut que mes collègues vérifient que tu es également au niveau dans les autres matières.

A l'heure suivante, le professeur d'histoire dit au nouvel élève :
— Voyons, commençons par une petite question facile : qui était Du Guesclin ?

De sa jubilation universelle, Atome-Pouce retomba dans le néant : il avait beau faire des efforts de mémoire, il n'avait jamais entendu ce nom.
— C'est un grand chevalier français du Moyen Age, lui souffla Colombine.

Atome-Pouce, troublé, ne comprit pas bien.
— C'est un grand Moyen Age du chevalier français, bafouilla-t-il.
— Comment ? Explique-toi mieux.
— C'est un Français moyen chevalier d'un grand âge.
— Du calme, Atome-Pouce, ressaisis-toi, insista gentiment le professeur. Raconte-moi les principaux faits d'armes de Du Guesclin.

Sur la tête d'Atome-Pouce, le petit

bidule mobile vibrait désespérément, comme une antenne de radar avide de capter quelque signal. Mais Colombine ne pouvait plus souffler, car le professeur avait un œil sur elle et l'autre sur Atome-Pouce.

– Est-il possible que tu ne saches rien me dire au sujet de Du Guesclin ?

Le professeur commençait à perdre patience.

Était-ce un atome ? Il ne lui semblait pas en avoir jamais entendu parler, de cet atome Du Guesclin. Mais alors, qui était-ce ? Un savant comme Zacharie ? Un joueur de football ? Un cousin du professeur ?

– Désolé, conclut le professeur, si tu ne sais pas qui était Du Guesclin, je ne peux pas te garder dans cette classe. Il paraît que tu connais à la perfection les atomes, d'accord, mais tu as encore à apprendre tout le reste.

Les autres professeurs furent du même avis et on le renvoya à l'école primaire, où il fut mis aussitôt au cours préparatoire. Les bancs étaient si petits qu'Atome-Pouce avait de la peine à y

entrer ; ses nouveaux camarades portaient des blouses bleues et roses brodées
de kangourous, de girafes, de nounours.
La maîtresse faisait faire des exercices
d'écriture.

– Hé ! toi, le petit nouveau, viens au
tableau ! dit-elle. Écris, en t'appliquant
bien, une ligne de « a ».

Atome-Pouce commença à écrire. Il
faisait les « a » mais ne voyait même pas
le tableau. Il pensait à Colombine qui
restait au collège à apprendre tant de
choses intéressantes, tandis que lui, sé-
paré d'elle, il allait devoir passer une
année entière à écrire des lignes de « a »,
de « b », de « c »...

Quelle honte ! Par la fenêtre ouverte, il
voyait le ciel bleu, le soleil qui resplen-
dissait, et au loin les arbres d'un parc
secoués par le vent.

Il avait l'impression d'être en prison.
Impossible de tenir le coup un an là-
dedans. Tout ça à cause de Du Guesclin.
– Ton écriture laisse beaucoup à désirer,
dit la maîtresse. Écris une autre ligne de
« a », cette fois en majuscules.

A A A A A A A A

Atome-Pouce, tout en écrivant, entendait une voix qui l'appelait :

– A A A A A A A A ATOME-POUCE !

Qui l'appelait ? L'horizon ? Ou le souffle du vent, fait de tant de libres atomes d'oxygène et d'hydrogène ?

Il ne pouvait pas rester là, parmi ces marmots, coincé dans un banc microscopique.

– Bon, maintenant c'est un peu mieux, dit la maîtresse. Écris-en une autre ligne. Et ne fais pas cette tête, ce n'est pas une punition !

Mais Atome-Pouce ne l'écoutait pas.

– A A A A A A A A ATOME-POUCE !

Quelle était donc cette voix qui l'appelait de plus en plus fort ? Elle semblait vraiment provenir de l'horizon, peut-être était-ce la voix du vent, ou de la liberté...

Il posa la craie, se dirigea lentement vers la fenêtre, ce rectangle de ciel.

– Où vas-tu ? demanda la maîtresse, stupéfaite.

Sans dire un mot, Atome-Pouce escalada le rebord et sauta.

– Au secours ! hurla la maîtresse. J'ai un

élève qui est devenu fou ! Il s'est jeté par la fenêtre !

La classe se trouvait au quatrième étage. La maîtresse courut à la fenêtre pour voir le corps de ce pauvre enfant : eh bien non, rien, pas l'ombre d'un cadavre... Atome-Pouce avait disparu.

A peine sauté à terre, il s'était éloigné à toute allure de l'école. Il se précipita à la maison et s'enferma dans sa chambre. L'heure tournait et Colombine allait bientôt rentrer. Elle allait lui répéter qu'il était un ignorant, qu'elle avait honte de lui, qu'elle ne voulait plus jamais jouer avec lui, elle allait l'obliger à retourner au cours préparatoire, une année à écrire des A, des B, des C, sur ce banc microscopique.

Mais quand elle rentra elle n'était pas en colère et ne se moqua même pas de lui.

– C'est ma faute, affirma-t-elle sérieusement. J'aurais dû t'expliquer qui était Du Guesclin... Bon, tant pis : puisque malheureusement ni papa ni moi ne disposons d'assez de temps pour te donner des leçons, tu étudieras tout seul.

Quelle joie ! Elle ne le renvoyait pas dans cette prison !

– Oh oui ! tu verras comme j'étudierai, s'écria-t-il au comble de l'enthousiasme. Je vais m'y mettre d'arrache-pied !

– Alors commence tout de suite.

Colombine le prit par la main et l'emmena dans la bibliothèque de son père : les murs de la pièce étaient entièrement recouverts d'étagères pleines de livres.

– Mais, pour arriver à les lire tous, je devrai rester enfermé ici pendant des années ! balbutia Atome-Pouce.

– Que veux-tu, pour s'instruire, il faut faire des sacrifices, dit philosophiquement Colombine. Allez, au travail, ne perds pas de temps. Tu sais, c'est ainsi que papa est devenu un grand savant, à force de dévorer des livres. Moi aussi j'en ai dévoré une grande quantité. A toi maintenant...

C'était un ordre, pas question de discuter.

Resté seul, il regarda les murs tapissés de livres : il y en avait des milliers et des milliers, à vous donner le vertige... Des années et des années à rester bouclé dans cette cellule plusieurs heures par jour, et chacune de ces heures en serait une de moins à passer en compagnie de Colombine... Quelle barbe ! « Pour s'instruire, il faut faire des sacrifices », avait-elle dit. Tu parles d'un sacrifice !... Tiens, au fait, après elle avait ajouté autre chose... Mais oui, pas de doute, c'est bien ce qu'elle avait dit ! Merveilleux ! Elle lui avait expliqué comment il devait s'y prendre, rien de plus facile !...

Quelques minutes plus tard, Colombine, qui faisait ses devoirs dans la pièce à côté, l'entendit s'exclamer :
— Fin !

Occupée à résoudre un délicat problème de mathématiques, elle ne répondit pas.
— Fin de la fin ! répéta Atome-Pouce.
— Ne dis pas d'âneries ! grogna-t-elle. Il y a tout juste cinq minutes que tu as commencé. Travaille et tais-toi !
— Fin de la faim ! Je n'ai plus faim ! insista Atome-Pouce.
— Mais qu'est-ce que tu racontes ? Tu délires ?

Elle leva les yeux de son cahier et le vit

apparaître sur le seuil, triomphant. Il avait un air tellement bizarre qu'elle courut dans la bibliothèque : toutes les étagères étaient vides, il n'y avait plus un seul livre !

Alerté par ses cris, Zacharie arriva sur les lieux, constata le désastre, devint tout pâle et regarda Atome-Pouce, qui avait incroyablement grossi et montrait complaisamment un ventre énorme. Pour la première fois de sa vie, Colombine vit son père désespéré :
— Malédiction ! Il a mangé tous mes livres !
— Cannibale ! Anthropophage ! Livrophage ! s'écria Colombine indignée.
— Mais c'est toi qui m'as dit qu'il fallait dévorer les livres ! Tu vois, je t'ai obéi. Effectivement, maintenant, *sapiens sum*, je suis savant ! Ma vaste culture s'étend du 24ᵉ parallèle au nord de la *Chanson de Roland* jusqu'à la circonférence de la baignoire d'Archimède dont le rapport avec le diamètre est égal à *pi* 3,14 plus Pie XII. En faisant le geste auguste du semeur dans la morne plaine de Waterloo, j'ai élevé au dernier carré de

l'hypothénuse ceux qui pieusement sont morts pour la patrie afin de leur permettre de se rallier à mon panache blanc...

— Mais que dis-tu ? Atome-Pouce, tu ne te sens pas bien ?

— Moi ? Je vais *very well, thank you !* Et je te salue Colombine, *saludos amigos olé morituri te salutant kaputt tutti quanti chi va piano va sano eppur si muove...*

— Papa, tu l'entends ? Il est devenu fou ! Fais quelque chose, appelle la Croix-Rouge !

Désormais Zacharie se tordait de rire à tel point qu'il semblait devenu fou lui aussi.

— Non, il n'est pas fou, bégaya-t-il entre deux hoquets. Il a une indigestion de culture. En avalant tous ces livres il a fait une énorme omelette d'histoire, de géographie, de géométrie, de littérature.

— Miam-miam, *sehr gut* la culture ! continuait cependant Atome-Pouce. Mais maintenant Colombine, *hermanita mía auf Wiedersehen ciao ciao ciao*, il faut que je te quitte car Victor Hugo et Jules César m'attendent au méridien de Greenwich pour traverser le Rubicon sur le radeau

de la Méduse avant d'aller livrer la
bataille d'Hernani...

— Papa, c'est incurable ? Il parlera toujours ainsi ?

— Ne t'inquiète pas, il va guérir, affirma
Zacharie. Il suffit de soigner son indigestion livresque.

— Comment ? En l'opérant ? Il faut l'emmener à l'hôpital ?
— Non, en lui faisant avaler une grande bouteille d'huile de ricin !

Et c'est effectivement une bouteille de cinq litres d'huile de ricin qu'Atome-Pouce fut contraint d'avaler à l'aide d'un entonnoir.

L'indigestion passa et Atome-Pouce redevint normal. Mais, du coup, tout ce qu'il avait appris de façon si confuse disparut comme par enchantement.
— Moi qui espérais tant devenir cultivé et intelligent comme toi, Colombine, dit-il tout penaud. Résultat : je vais continuer à être un atome ignorant et tu auras toujours honte de moi.
— Ne t'en fais pas, intervint Zacharie. Tu n'as rien à apprendre. Tu es extraordinaire tel que tu es : un atome vivant, doué d'une force immense qui peut être utile à l'ensemble de l'humanité. C'est nous qui avons beaucoup à apprendre de toi.
— Alors, professeur, vous n'êtes pas furieux contre moi pour les livres ?

– Je les rachèterai quand j'aurai de l'argent. Quant à toi, Colombine, je t'en prie, cesse de le gronder.

S'il n'avait pas été aussi timide, Atome-Pouce aurait sauté au cou de Zacharie pour l'embrasser.

8. Championnats

Colombine dut se résigner : Atome-Pouce n'avait décidément pas une vocation d'intellectuel. Elle qui estimait tant l'intelligence et la culture, parfois elle s'étonnait de s'être à ce point attachée à lui.

— Ne va surtout pas croire que la force puisse remplacer l'intelligence, lui disait-elle. Les gros costauds m'ont toujours été antipathiques.

— Ce n'est pas ma faute si je suis fort, se justifiait Atome-Pouce.

Mais ensuite il n'y comprit plus rien en s'apercevant qu'au contraire Colombine était fière de sa force.

En effet, au moment des championnats scolaires, elle l'emmena au stade et se mit à vanter sa puissance à ses camarades.

Atome-Pouce jubilait.

– Dans quelles épreuves penses-tu réussir le mieux ? lui demanda Colombine. Auxquelles comptes-tu participer ?

– A toutes, répondit Atome-Pouce.

Et il s'inscrivit au saut en hauteur, en longueur, au cent mètres, au quatre cents mètres haies, au lancer du poids, du disque, du javelot et du marteau.

– Quel prétentieux ! commenta Armand, qui ne s'était inscrit qu'au lancer du poids.

– Lui ? Prétentieux ? réagit Colombine. Qui veut parier avec moi qu'Atome-Pouce gagnera toutes les épreuves ?

Lorsque son favori pénétra sur le terrain, elle commença à trépigner :

– Allez ! Vas-y ! et elle scanda : A-tome-Pouce, A-tome-Pouce, A-tome-Pouce !

Mais au cent mètres on ne put même pas le chronométrer car, à peine le départ donné, il avait déjà franchi la ligne d'arrivée. Malgré les protestations de Colombine, il ne fut pas déclaré vainqueur pour la bonne raison qu'on ne l'avait même pas vu courir : il avait été plus rapide qu'une balle de fusil.

— Merde alors ! hurla Colombine. Ce n'est pas juste ! Allez, Atome-Pouce, montre-leur qui tu es : écrase-les au saut en longueur !

Bien décidé à lui offrir la victoire, Atome-Pouce prit son élan et réalisa un saut formidable. Si formidable qu'on ne le vit pas retomber : il avait atterri hors du stade, dans une chambre de l'immeuble d'en face, dont il avait traversé la fenêtre.

Colombine, furieuse, lui cria quand il fut revenu en piste, tout penaud :

— Gare à toi si tu ne gagnes pas le quatre cents mètres haies !

Au coup de pistolet, il partit comme une fusée et franchit la ligne d'arrivée bien avant que ses concurrents n'eussent sauté le premier obstacle : de toute façon, ils ne pouvaient plus rien sauter car non seulement Atome-Pouce avait renversé tous les obstacles, mais encore il les avait réduits en miettes. Naturellement, il fut disqualifié.

Il en fut de même pour l'épreuve suivante : le saut en hauteur. Quand il revint sur terre, tous les autres concurrents avaient déjà terminé.

– Gagne au moins le lancer du poids ! cria Colombine. Il faut absolument que tu battes ce morveux d'Armand !

Atome-Pouce, malheureusement, se donna à fond. Résultat : il lança le poids si loin qu'il vola non seulement hors du stade mais hors de la ville et, par chance, retomba dans la mer.

Par mesure de sécurité, les juges lui interdirent de prendre part aux lancers du javelot, du marteau et du disque.

– Inutile de protester, mademoiselle, précisèrent-ils à l'adresse de Colombine qui tempêtait dans la tribune. Nous ne tenons pas à ce que, dans le monde entier, on se mette à nouveau à parler de soucoupes volantes.

– Tu n'es vraiment bon à rien, maugréa Colombine tandis qu'ils rentraient à la maison. Tu ne sais pas lire, tu n'es pas capable d'étudier, et tu n'es même pas fichu de gagner une épreuve sportive.

Atome-Pouce avait l'air si abattu

qu'elle eut pitié de lui. Pour le consoler, elle l'emmena au cinéma.

Le film racontait l'histoire d'un pauvre enfant sans famille : il était recueilli par un saltimbanque qui lui apprenait à lire et à écrire, et, pour aider son bienfaiteur, il chantait dans les rues avec son chien, puis un jour il allait travailler dans une mine de charbon... Atome-Pouce devint encore plus triste : dire que lui aussi il était un enfant trouvé, et maintenant il avait la chance d'avoir une famille qui se mettait en quatre pour lui donner de l'instruction, mais il était incapable d'apprendre et ne savait même pas qui était Du Guesclin... Et en fait d'aider Zacharie, il lui avait mangé tous ses livres ! Décidément, Colombine avait bien raison : il n'était qu'un bon à rien...

– Ça t'a plu ? demanda Colombine quand ils sortirent du cinéma.

– Oui, répondit Atome-Pouce, j'ai appris une chose.

Il ne dit pas laquelle, mais il allait avoir l'occasion d'y repenser le jour où Colombine l'emmena chez sa grand-mère.

9. Visite à la grand-mère

C'est Colombine qui lui téléphona :
— Excuse-moi, grand-mère, si je ne suis
plus venue depuis pas mal de temps,
mais j'ai eu beaucoup à faire. Je me suis
fait un grand ami, Atome-Pouce, qui me
sert de frère. Je vais venir te le présenter.

C'est ainsi qu'un après-midi Atome-
Pouce se retrouva dans une maison
totalement différente de celle de Zacharie, pleine de meubles anciens, de
rideaux anciens, de bibelots et nappe-
rons anciens, et au milieu de tout cela il y
avait une vieille dame qui, bien entendu,
était habillée à l'ancienne.

– Voici Atome-Pouce, dit Colombine.

La grand-mère lui jeta un coup d'œil distrait.

– Bonjour, mon petit, dit-elle, et aussitôt après elle s'adressa à sa petite-fille : Comme tu es pâle ! Dis-moi la vérité : manges-tu assez, dors-tu suffisamment, vas-tu régulièrement aux cabinets ?

– Mais enfin, tu n'as donc rien remarqué ? s'exclama Colombine, déçue par l'accueil réservé à Atome-Pouce. C'est un atome !

– Ah bon ? Il est mignon... Colombine, tu devrais prendre un fortifiant. Je t'emmènerai chez un médecin et...

– Mignon, tu parles, il est extraordinaire !

– Oui oui... Quand même, Colombine, tu aurais pu t'habiller mieux que ça. Désormais tu es une jeune fille.

Atome-Pouce restait dans un coin, silencieux et intimidé : il avait l'impression d'être dans un musée, dont cette vieille dame faisait partie. Il n'arrivait pas à comprendre pourquoi elle se montrait si compatissante à l'égard de Colombine : à l'entendre on aurait cru que celle-ci était sur le point de mourir et qu'elle avait l'air d'une mendiante. Lui il la trouvait si belle et élégante. Et elle ne manquait de rien avec Zacharie. Alors, pourquoi ?

Colombine raconta que l'école marchait bien, qu'elle était en train de lire un très beau récit de voyages, mais visiblement cela n'intéressait pas la grand-mère :

— Dis-moi la vérité, demanda-t-elle, que manges-tu le matin ? Et à midi ? Et au goûter ? Et le soir ?... As-tu fini le pull-over que je t'ai appris à tricoter ?... Au fait, sais-tu que la fille de ma voisine vient de se marier ? Un beau parti. En voilà une qui a la tête sur les épaules, sérieuse et tout !

Maintenant c'était au tour de Colombine de n'être pas intéressée par ces propos, même si en apparence elle les écoutait bien sagement.

— Tiens-toi convenablement, ma chérie, disait de temps en temps la grand-mère, et aussitôt, obéissante, Colombine se redressait sur sa chaise.

C'était une autre Colombine, avec un air étrangement docile, un sourire angélique figé sur sa frimousse : bref, une vraie petite fille modèle qu'Atome-Pouce ne reconnaissait pas et qu'il craignait de voir rester toujours ainsi.

— Tu m'as oubliée, remarqua la grand-mère. Tu n'es même pas venue me voir dimanche dernier.

— Excuse-moi, j'étais avec Atome-Pouce, nous sommes allés...

— A la messe ?

— Non, au stade.

Mieux valait ne pas lui raconter que le dimanche précédent elle avait fait des acrobaties sur un tram volant, sinon la pauvre femme risquait de s'évanouir...

— Tu n'es donc pas allée à la messe ? dit la grand-mère, scandalisée. Toutes les petites filles comme il faut y vont.

— Papa n'y va pas et pourtant c'est une personne comme il faut, répliqua Colombine.

Et elle se retint pour ne pas ajouter qu'une de ses camarades qui était toujours fourrée à la messe n'en était pas moins hypocrite et menteuse. Elle, au contraire, pour rien au monde elle n'aurait dit un mensonge, jamais, même si on l'avait soumise à la torture chinoise, celle de la goutte d'eau sur la tête.

La grand-mère, désolée, leva les yeux au ciel.

— Ah ! si ta pauvre maman était encore vivante ! (Elle indiqua une photo encadrée.) Tu devrais rester plus souvent avec moi, ajouta-t-elle, comme si cela devait préserver Colombine de qui sait quels dangers. Tu me donnes beaucoup de soucis : plus tu grandis, plus tu as des idées bizarres, et tu n'as pas de cœur.

— Moi, pas de cœur ? éclata Colombine, et pendant un instant elle redevint elle-même. Pas de cœur, c'est la meilleure, merde alors !

— Quelle horreur ! Colombine, je te défends de dire des gros mots !

Bon, d'accord, ça, c'était la seule chose que son papa et sa grand-mère avaient en commun : ils ne voulaient pas qu'elle dise « merde alors ».

— Heureusement que l'école est presque finie, soupira la grand-mère. Nous allons bientôt partir en vacances ensemble, et je pourrai enfin m'occuper de toi.

Atome-Pouce sursauta : Colombine partait avec sa grand-mère ? Mais alors elle allait l'abandonner ?

— Je t'achèterai de jolies petites robes :

des modèles élégants et sérieux, pas ces affreuses guenilles modernes que ton père te permet de porter.

– Merci, grand-mère, dit Colombine en pensant : « Élégants et sérieux, je vois ça d'ici, des machins boutonnés jusqu'au cou, à carreaux, style collégienne de bonne famille. »

– Et Atome-Pouce ? demanda-t-elle. On l'emmène ?

Ouf ! elle pensait à lui, quelle sœur adorable ! Mais sa joie fut de courte durée.

– Pas question ! répondit la grand-mère. D'ailleurs, ne m'as-tu pas dit que Zacharie en a besoin pour ses recherches ?

Colombine n'eut aucune réaction.

– Il se fait tard, grand-mère, dit-elle, nous devons te laisser. Pour les vacances, on verra.

« On verra » : qu'est-ce que cela signifiait ?

Colombine embrassa sa grand-mère, qui avait les larmes aux yeux comme si sa petite-fille la quittait pour un lieu de perdition.

Dès qu'ils furent dans la rue, Colombine respira un grand coup.

– Tu iras en vacances avec elle ? s'enquit Atome-Pouce qui mourait d'envie de savoir ce que signifiait ce « on verra ».
– Tais-toi, j'ai déjà assez de problèmes comme ça. Je l'aime bien, moi, ma grand-mère. Et puis il y a des choses que tu ne peux pas comprendre.

Elle avait cet air sérieux et sévère qui l'intimidait toujours et il n'insista pas. Quand même, décidément, elle était parfois bien étrange...

Le soir, au lit, dans le noir, il se hasarda à lui demander :
– Pourquoi ta grand-mère ne vient-elle jamais ici ?
– Parce qu'elle ne voulait pas que maman se marie avec papa. Papa, tu le sais, raisonne comme moi.
– Mais alors, si elle l'a épousé, c'est qu'elle raisonnait comme Zacharie ?
– Je l'espère bien, répondit Colombine.

Dans sa voix, il y avait une grande tristesse.

Zacharie, comme chaque soir, entra pour l'embrasser.
– Papa, dit Colombine, si je n'ai pas les mêmes idées que grand-mère, est-ce

que je suis une mauvaise petite-fille ?

— Non. Mais cela ne doit pas t'empêcher d'être gentille avec elle.

— Autre chose : une fille qui n'a pas les mêmes idées que ses parents est-elle une mauvaise fille ?

— Ça dépend. De toute façon, il n'est pas souhaitable qu'elle soit d'accord en tout avec ses parents. Par exemple, si tu as une opinion différente de la mienne sur certains points, il faut me le dire, et si tu as raison, je dois le reconnaître.

— Merci, papa ! s'écria joyeusement Colombine. Il est possible que dans quelques semaines nous ne soyons pas d'accord, et comme je suis sûre que tu auras tort, je sais maintenant que tu changeras d'avis et que tu me donneras raison. Pour le moment je ne peux pas t'en dire plus. Bonne nuit, papa.

Atome-Pouce réfléchit longuement à ce qu'avait dit Colombine : de toute évidence elle avait un problème, et même un secret qu'elle lui cachait.

Mais lui aussi il avait son secret, une idée qui lui était venue en voyant ce film et qui s'était à nouveau présentée à son esprit en écoutant la grand-mère.

« Un brave garçon aide sa famille, pensait-il, donc, si je trouvais un travail, je serais un brave garçon, car je pourrais racheter les livres de Zacharie, et même... Oui, même gagner assez d'argent pour payer des vacances à Colombine. Mais accepterait-elle ? Ou dirait-elle "on verra" comme elle l'a dit à sa grand-mère ? »

10. Histoire d'un « miaou »

— Miaou ! Miaou !

Un chat ne cessait de miauler à la porte.

Colombine ouvrit et le chat entra. Dès qu'il vit Atome-Pouce : « C'est bien lui, pensa-t-il, je l'ai retrouvé : ce n'est pas pour me vanter, mais j'ai un sacré odorat. » Toutefois il sentit aussi une autre odeur, qui dans la Centrale atomique lui avait rempli les narines jusqu'à la nausée, celle de la science. « Ah ! non, c'est pas vrai, encore des savants, quelle guigne ! » Bon, patience, l'important était d'avoir retrouvé Atome-Pouce qui savait si bien le caresser : pour le rejoindre, il avait marché des jours et des jours et il en avait mal aux pattes.

Il se frotta à ses jambes, et Atome-Pouce lui gratta la tête.

— Il a l'air de tenir à toi, constata Colombine. Si tu veux, on le garde.

D'un côté le chat était flatté d'avoir été tout de suite adopté, mais par ailleurs ça l'agaçait un peu de n'avoir pas été consulté. Et puis, en un certain sens, il se sentait déclassé : parti d'une grande centrale atomique, il se retrouvait dans un modeste laboratoire privé. De plus, il y avait cette petite fille qui se permettait des familiarités déplacées et le prenait dans ses bras de façon si vulgaire, en lui disant :

— Mon joli gros minet !

Elle ne pouvait pas conserver ses distances, non ? Enfin, quoi, ils n'avaient pas gardé les vaches ensemble !

« Soit, puisque vous insistez, je resterai. Mais attention, les bons comptes font les bons amis : je ne me nourris pas que de caresses. Pas question de transiger sur la nourriture : il me faut mon mou deux fois par jour, midi et soir. Et ne recommençons pas comme à la Centrale : je le veux cru, pas cuit ! »

— Où le ferons-nous dormir ? demanda Colombine.

« Entendons-nous bien, miaula le chat, j'exige un coussin moelleux, et qu'on me laisse dormir tout mon saoul : le manque de sommeil me gâte la digestion et la mauvaise digestion m'abîme le poil. Je ne suis peut-être pas tout à fait de pure race à 100 pour 100, mettons à 95 pour 100, mais j'ai un poil, ce n'est pas pour me vanter, digne d'un premier prix dans un concours de beauté féline. »

Colombine, cependant, lui préparait son coin.

Bon, c'était *presque* correct, le coussin était *relativement* moelleux.

« Autre chose : j'ai droit à la retraite quand je serai vieux, et à un bon vétérinaire si je tombe malade ; la Sécurité sociale est aussi valable pour nous autres chats : nous sommes bien des travailleurs domestiques, oui ou non ? »

— Qu'est-ce qu'il miaule ! dit Atome-Pouce. Au fait, comment allons-nous l'appeler ?

Colombine regarda le chat, pensive.

– On l'appellera... voyons... voilà, on l'appellera Fantasio.

– Comme tu es forte pour trouver des noms ! s'extasia Atome-Pouce.

Mais l'intéressé se souciait bien peu d'avoir un nom : de toute façon, en tant que chat, il n'était nullement tenu de répondre si on l'appelait, ça c'était bon pour ces idiots de chiens, cette race servile et sans personnalité. Lui il était libre. Par exemple, il avait quitté la Centrale de son plein gré. Il était fait ainsi : il ne faisait que ce qui lui plaisait, vive la liberté ! Et puis, franchement, pourquoi serait-il resté à la Centrale puisque, après l'arrivée du général Siméon, ils avaient tout fermé, y compris la cuisine ?

Le comportement de Fantasio intrigua beaucoup Atome-Pouce. Il sortait dans le jardin se vautrer au soleil ou faire la chasse aux papillons, disparaissait durant des heures, qui sait où, et la nuit il montait sur le toit pour contempler la lune. Quand on l'appelait il ne répondait pas.

« Laissez-moi en paix. J'ai mes soucis,

121

moi. Si je ne trouve pas une souris, je vais avoir une dépression nerveuse... » Il avait bien autre chose à faire que d'écouter Atome-Pouce ou cette pimbêche de Colombine, qui — décidément, c'était un complot — s'obstinait à lui faire bouillir son mou.

En tout cas, à l'heure des repas, il était toujours présent. Ou alors il arrivait au moment où l'on s'y attendait le moins et exigeait qu'on le caresse, surtout Atome-Pouce.

Colombine le trouvait sympathique.
– Quel égoïste ! disait-elle, il se fiche complètement des autres et ne pense qu'à lui. En plus, il est voleur : mais pour lui voler est naturel, instinctif. C'est pourquoi quand il vole il fait preuve d'intelligence. Et il faut voir comme il sait s'occuper de ses affaires : il mange, il dort et ne fait rien.

« Comme moi, pensait Atome-Pouce, seulement moi je ne suis pas un chat. » Et il souffrait en songeant aux livres de Zacharie, ainsi qu'aux vacances qu'il voulait offrir à Colombine : pour cela il lui fallait de l'argent, et l'argent, ça se gagne en travaillant.

Parfois, tandis que le professeur étudiait Atome-Pouce, Fantasio, sans se presser, majestueusement, entrait dans le laboratoire et les fixait de ses yeux verts. Très attentif, il semblait admirer les doctes soliloques de Zacharie ; en fait, il ne lui inspirait que de la pitié.

« Quelle barbe ! Que de fois j'ai entendu ce genre de palabres à la Centrale ! Allons bon, le voilà qui parle maintenant d'un projet à présenter à l'Académie des sciences, naturellement pour le bien et le progrès de l'humanité !... »

Il lui arrivait de protester en miaulant :

« Et le bien de la chatinité, alors ? Occupe-toi un peu de nous, les chats ! »
– Tais-toi ! disait Zacharie. Laisse-moi travailler.

« Mais oui, mais oui, je me tais. D'ailleurs, la chatinité, je m'en fiche et contrefiche. Moi d'abord, les autres après s'il en reste. Je suis un chat indépendant, moi ! »

Son expérience personnelle l'avait convaincu que les hommes ne savaient pas vivre : incapables de jouer avec une souris ou de se faire gratter la tête ! Les

123

pauvres, comme ils étaient à plaindre : ils n'imaginaient même pas qu'un chat puisse être plus malin qu'eux !

Avec une telle philosophie, il était logique qu'il fût indifférent aux souffrances d'Atome-Pouce. Mais même s'il y avait prêté attention, il lui aurait dit :

« Pourquoi t'angoisser ainsi ? Amuse-toi, couche-toi en boule dans le jardin, au soleil, et attends tranquillement qu'un beau lézard passe à ta portée. Bref, laisse-toi vivre ! »

Et pourtant Atome-Pouce se faisait beaucoup de souci. Il pensait au « on verra » de Colombine, aux vacances qui approchaient.

— Est-ce vrai que tout le monde doit faire quelque chose dans la vie ? demanda-t-il un jour à Zacharie.

— Certes.

« Et moi, alors, qu'est-ce que je fais ? » pensa-t-il.

11. Atome-Pouce cherche du travail

Jeune, dynamique, atomique, radioactif, thermonucléaire, survolté, électronique, thermoélectrique, bon à tout faire, cherche n'importe quel travail. Téléphoner heures d'école 548.97.76.

Dès que Colombine fut partie à l'école, Atome-Pouce s'installa à côté du téléphone pour attendre les appels. Il avait pris sa décision : plus question de vivre comme Fantasio, lui aussi il voulait être un brave garçon comme celui du film. C'est ainsi qu'il avait mis en cachette cette annonce dans un journal.

Le téléphone sonna.

Atome-Pouce bondit, le cœur battant :

– Allô !

– C'est vous qui avez mis cette annonce ? J'ai un travail sur mesure pour vous : à l'asile ! Va te faire soigner, espèce de dingue !

Ça commençait bien.

Le téléphone sonna à nouveau.

– C'est vous le monsieur de l'annonce ? dit une voix caverneuse. Écoutez-moi bien, je vous défends de me faire concurrence : moi, je suis une bombe atomique !

Personne ne prenait l'annonce au sérieux. Bon, puisqu'il en était ainsi, c'est lui qui allait prendre au sérieux les annonces des autres.

Il chercha dans le journal la colonne des « offres d'emploi ».

Il y en avait de toutes sortes :

Grande banque cherche caissier. Exige caution de dix mille francs qui sera restituée à raison de mille francs par mois comme paie mensuelle. Durée du contrat : dix mois.

Cherche représentant de commerce expé-

rimenté. Vaste clientèle, possibilités de carrière. Non seulement vous placerez des appareils électroménagers, mais vous participerez à leur production en assumant personnellement les frais de fabrication. Pourcentage : 50 % pour nous et 50 % pour le représentant.

Entrepreneur très entreprenant cherche manœuvres. Dix francs par jour garantis, sauf en cas de grève. Se présenter au chantier avec ses instruments de travail. Apporter aussi des briques, de la chaux, des tuiles et du ciment armé.

Atome-Pouce n'y comprenait pas grand-chose, mais quand même assez pour renoncer à les prendre au sérieux.

Finalement il dénicha une offre pour un emploi de vendeur dans un magasin de jouets.

Il courut se présenter et fut embauché.

Parents et enfants venaient, choisissaient les jouets, achetaient. Mais il arrivait parfois que quelqu'un, pris de passion pour un beau jouet, n'eût pas assez d'argent pour le payer. Apitoyé par sa mine triste, Atome-Pouce lui faisait un rabais, se contentant de ce qu'il avait.

Quant à ceux qui n'avaient pas un sou, il leur faisait carrément cadeau des jouets. Après tout, puisque Zacharie travaillait pour le bien de l'humanité, lui il pouvait aussi de temps en temps faire plaisir à un enfant. C'est ce qu'il essaya d'expliquer à son patron, mais celui-ci ne comprit pas et le licencia.

Zacharie, naturellement, dut indemniser le propriétaire du magasin.

Atome-Pouce ne se résigna pas : il trouva une autre place de vendeur, cette fois dans une quincaillerie. Il se mit au travail avec ardeur. Trop, même. En effet, il dégagea une telle charge électromagnétique qu'en un clin d'œil dans le magasin tout fut aimanté, clous, vis, boulons, écrous, etc., si bien qu'il s'avérait impossible de détacher un seul objet pour le vendre.

– Tu n'es pas capable de travailler, lui dit Colombine, tu es trop naïf...

– Tu ne peux faire que des travaux en grand, ajouta Zacharie, comme ceux que j'ai en projet : là, oui, on pourra exploiter ton immense énergie.

Cette déclaration de Zacharie lui

donna une idée : et s'il vendait un peu de son énergie électrique ?

« Je ne suis pas aussi naïf qu'ils croient, pensa-t-il. Tu verras, Colombine : je vais gagner un tas d'argent, et sans rien faire ! »

Aussitôt il mit une annonce dans le journal :

Vends énergie électrique de première qualité. Tarif réduit pour militaires, enfants et cartes Vermeil. (Ce dernier détail, il l'avait vu au guichet d'un cinéma.)

Il s'installa devant la porte d'entrée et attendit les clients. Il en arriva beaucoup, mais ils semblaient très méfiants. Tous, en effet, avant d'acheter, voulaient vérifier la qualité de cette énergie électrique. A titre d'essai, les uns faisaient recharger la batterie de leur voiture, d'autres les piles de leur transistor. Un monsieur lui mit un fil dans la main et lui dit :

– Tenez-le bien et attendez, je vais le relier à mes appareils électroménagers, comme ça je verrai si ça marche.

Et il s'en alla en déroulant le fil.

Curieusement, personne ne revenait.

« Je ne comprends pas, pensait Atome-Pouce. Pourtant, modestie à part, mon énergie électrique est de première qualité. »

Bref, en une seule journée il fournit assez d'énergie pour éclairer et chauffer la moitié de la ville mais ne gagna pas un sou.

Dans la soirée arriva un monsieur moustachu, l'air digne et sévère.

— C'est vous qui vendez de l'électricité ? demanda-t-il. Quelle quantité en avez-vous ?

— Je ne l'ai jamais calculée, mais je pense pouvoir en produire facilement quelques milliards de kilowatts-heures par jour.

— Tiens tiens ! dit le monsieur, intéressé. Et à quel prix ?

— Je me contente de ce qu'on veut bien me donner ; naturellement, tarif réduit pour les militaires, les enfants et les cartes Vermeil.

— Et où fabriquez-vous cette électricité ?

— Ici, répondit Atome-Pouce en montrant son ventre.

Comme le monsieur se montrait sceptique, Atome-Pouce pointa un doigt vers le ciel et en fit partir un éclair qui dut parvenir jusqu'à la lune.

– Êtes-vous convaincu, maintenant ?

– Oui oui, bien sûr.

Le monsieur sortit de sa poche un formulaire et commença à écrire :

« Atome-Pouce, fils de père et mère inconnus, soi-disant atome, profession : capitaliste, producteur d'énergie électrique (quelques milliards de kilowatts-heures par jour). Vend sans licence. Infraction à la loi sur la déclaration des revenus. Ne paie ni la T.V.A., ni l'impôt foncier, ni la taxe d'habitation, ni l'impôt sur les grandes fortunes, ni l'impôt exceptionnel sur la sécheresse, ni l'impôt exceptionnel sur l'humidité, ni la taxe sur les égouts, ni la taxe sur les chiens... »

– Mais je n'ai pas de chien ! protesta timidement Atome-Pouce.

– Excusez-moi, dit le monsieur, et il raya cette rubrique.

Puis il fit le total :

« Redressement fiscal + amendes diverses = 2 500 000,00 F. »

Il détacha la feuille et la tendit à Atome-Pouce :

– On vous envoie la facture ou vous payez tout de suite ?

Atome-Pouce préféra payer tout de suite : avec une bonne petite décharge électrique. Les habits brûlés et les moustaches roussies, le monsieur prit ses jambes à son cou et on ne le revit plus jamais.

Mais cet incident mit fin à la carrière d'Atome-Pouce comme producteur-vendeur d'énergie électrique.

Toutefois il ne se résigna pas. Il parcourut toute la ville à la recherche d'un travail, mais dans toutes les vitrines des magasins, à la porte de toutes les usines et sur les murs de tous les chantiers étaient accrochés des écriteaux :

Personnel au complet. On n'embauche pas. Ne nous cassez pas les pieds.

Était-ce possible qu'il n'y eût pas le moindre emploi pour lui ?

Désolé, il errait dans les rues quand soudain, à la grille d'une usine, il vit un grand écriteau différent des autres :

On embauche des ouvriers ! S'il vous

plaît, donnez-vous la peine d'entrer : vous serez accueillis à bras ouverts.

C'était un édifice très moderne et luxueux. Au sommet s'étalait une enseigne :

Usine PROPP

Le trottoir d'en face était plein d'ouvriers, mais, chose étrange, aucun d'eux n'entrait malgré cette courtoise invitation et, chose plus étrange encore, ils portaient eux aussi de grands écriteaux.

Atome-Pouce, bien entendu, se précipita.

12. Atome-Pouce trouve du travail

– Où vas-tu ? Attends !

Un ouvrier âgé se détacha du groupe et le retint par un bras.

– Il ne faut pas travailler dans cette usine, nous en sommes tous sortis. On n'y résiste pas : on travaille à la chaîne comme des esclaves...

Qu'entendait-il par là ? Que les ouvriers étaient carrément enchaînés ? Il exagérait sûrement. Pourtant, il semblait être quelqu'un de sérieux.

– A force de faire toujours les mêmes gestes, tic-tac, tic-tac, comme le balancier d'une horloge, on finit par devenir fou et...

– Merci pour le renseignement, l'interrompit Atome-Pouce, mais moi j'ai besoin de gagner ma vie et je n'ai pas peur de faire tic-tac.

Et il franchit la grille au pas de course.
– N'entre pas ! cria derrière lui l'ouvrier.

Atome-Pouce continua à courir : si ce type n'avait pas envie de travailler, ça le regardait, mais qu'est-ce que ça pouvait lui faire que d'autres en aient envie ?

Il se retrouva dans un immense hangar désert : toutes les machines étaient arrêtées, comme mortes. Mais il y régnait une bonne odeur : de technique, de modernité, une odeur qui lui plut tout de suite.

Un monsieur distingué vint à sa rencontre en lui tendant les bras.
– Entrez, monsieur l'ouvrier, soyez le bienvenu, permettez-moi de vous embrasser ! (Il le serra contre sa poitrine et lui donna un gros baiser sur la joue.) Je me présente : Propp, le propriétaire de cette modeste fabrique. (Il balaya d'un geste l'immense étendue des machines immobilisées.) Vous ne pouvez pas vous imaginer à quel point je suis flatté que

vous désiriez travailler avec moi. Que puis-je vous offrir ? (Il indiqua un domestique en livrée, qui était accouru avec un grand plateau.) Champagne ? Cocktail ? Coca-cola ? Chewing-gum ?

— On m'avait dit tellement de mal de cette usine ! dit Atome-Pouce, abasourdi. En réalité, c'est un paradis.

— Ne faites pas attention à ces fainéants là-dehors, précisa monsieur Propp, l'air désolé. Ils n'ont pas envie de travailler, et pourtant avec eux je me suis toujours comporté comme un père... Mais dites-moi plutôt : que préférez-vous faire ? Enfoncer des clous ? Mettre les pneus ? Fixer les pare-chocs ?

Ce n'est qu'à ce moment-là qu'Atome-Pouce comprit qu'il s'agissait d'une usine d'automobiles et que la chaîne était un système de travail, c'est-à-dire une chaîne de montage. On posait une tôle au début d'une sorte de tapis roulant, le tapis avançait et passait devant un ouvrier qui y enfilait des vis, le tapis continuait à avancer et un autre ouvrier vissait une charnière à la tôle, et ainsi de suite pour tous les autres ouvriers :

chacun ajoutait quelque chose, un siège, une portière, le moteur, le volant, les pare-chocs, les roues... A la fin de la chaîne sortait une auto terminée, prête à rouler. Si ce n'est que, présentement, le tapis ne tournait pas car les ouvriers avaient tous déserté leur poste.

– Je vais essayer de tout faire tout seul, proposa Atome-Pouce. En courant le long de la chaîne, je pourrai peut-être monter toutes les pièces.

– J'apprécie à sa juste valeur cette noble intention, mon enfant, déclara Propp, ému. Mais hélas, personne au monde ne pourrait accomplir un tel travail...

Atome-Pouce tint quand même à essayer. Avec son flair scientifique inné, il comprit en un clin d'œil le fonctionnement de la chaîne. Courant à la vitesse d'un éclair le long du tapis roulant, il se mit frénétiquement à visser, boulonner, souder, sertir, assembler, ajuster, rembourrer, vernir...

Au bout de la chaîne commencèrent à s'entasser des autos de toutes les couleurs. Propp n'en croyait pas ses yeux et trépignait d'enthousiasme.

– Merveilleux ! Prodigieux !... L'usine

fonctionne ! Et avec un seul ouvrier ! Un seul salaire !... Mon petit Atome-Pouce, je t'aime, je t'adore !... Plus vite, s'il te plaît, plus vite encore !

Atome-Pouce, flatté, accéléra.

– Tu es extraordinaire ! Tu effectues à toi seul le travail de mille ouvriers ! Et tu me fais économiser 999 salaires ! C'est la Providence qui t'a envoyé, mon cher enfant ! Allez, vas-y, augmente la cadence !... Très bien ! Bravo ! Je vais te donner une prime de rendement... Ou plutôt, tiens, je vais faire une folie : je te verserai carrément un salaire double ! Mais au moins, montre-toi reconnaissant, accélère encore un peu !

Atome-Pouce obéit, bien qu'à vrai dire il commençât à être fatigué à force de s'agiter comme un possédé. Cependant il tint le coup en pensant qu'il allait gagner un tas d'argent, de quoi offrir des vacances à Colombine, avec peut-être même en plus un beau cadeau.

En fin de journée, Propp l'embrassa tendrement.

– Toute ma vie j'ai rêvé d'un ouvrier comme toi, c'est le ciel qui t'envoie...

Bon, maintenant, rentre vite à la maison, mon trésor, et repose-toi bien pour être en forme demain matin. D'ailleurs je ne veux pas que tu fasses le trajet à pied : mon chauffeur va t'emmener chez toi et reviendra te chercher demain.

Lorsque Atome-Pouce franchit la grille de l'usine à l'arrière de la voiture conduite par le chauffeur en livrée, les ouvriers étaient toujours là. A travers la vitre, il leur fit un salut amical de la main, mais ils ne lui répondirent pas et, il lui sembla même qu'ils le regardaient de travers. Quel drôle de comportement : qui sait pourquoi ils ne voulaient pas travailler avec un patron si bon et généreux ?

Mais bientôt il n'y pensa plus : il avait hâte d'arriver à la maison pour annoncer qu'il avait trouvé du travail.

En fait, une fois de plus, Colombine ronchonna.

– Quel besoin as-tu de travailler ? Manques-tu de quelque chose avec nous ?

– Non, au contraire, mais je ne veux plus vivre comme Fantasio qui mange, dort et ne fait rien. Je veux me rendre utile.

« Pauvre imbécile ! pensa Fantasio qui, tapi sous une table, était en train de grignoter une aile de poulet volée dans la cuisine. Il ne se rend pas compte que j'ai choisi la profession la plus difficile et la plus intelligente qui puisse exister : celle qui consiste à se payer du bon temps sans jamais travailler ! »

Malgré tout, même si elle ronchonnait pour le principe, Colombine le traitait avec beaucoup d'égards et supplia Zacharie de lui donner un petit morceau d'uranium.

– Je le sais que l'uranium coûte très cher, papa, mais Atome-Pouce a besoin de se suralimenter, il lui faut des vitamines : tu comprends, maintenant, c'est un travailleur de force...

Le soir, quand ils furent couchés, elle renonça à lire au lit et éteignit aussitôt la lumière en disant :

– Demain matin tu dois te lever de bonne heure. Dors. Bonne nuit.

– Colombine..., murmura Atome-Pouce au bout d'un moment.

– Qu'y a-t-il, Atome-Pouce ?

– Rien. Je voulais seulement t'entendre prononcer mon nom. Il me semble si beau dans ta bouche.

– Atome-Pouce, Atome-Pouce, Atome-Pouce... Voilà : tu es content ?

– Oui, merci.

Il se tourna sur le côté et ferma les yeux.

– Bonne nuit, Colombine.

« Colombine..., pensa-t-elle. Mon nom à moi aussi sonne bien dans la bouche d'Atome-Pouce... Ma foi, j'ai un joli nom, je ne m'en étais jamais aperçue : Colombine, Colombine, Colombine... Atome-Pouce, Atome-Pouce, Atome-Pouce... La douce Colombine avec son Atome-Pouce... L'adorable Atome-Pouce et sa colombe douce... Comme c'est mélodieux !... Je suis contente qu'il soit venu vivre à la maison. Très, très contente. Mais je ne le lui dirai jamais, j'aurais bien trop honte... »

– Bonne nuit, Atome-Pouce ! dit-elle.

Mais il dormait déjà.

« Quel idiot, pensa-t-elle, il s'est déjà endormi. J'aurais tant aimé qu'il me réponde : "Bonne nuit, Colombine"... »

Eh là ! qu'est-ce qui lui prenait ? Si

une de ses camarades avait fait de pareilles simagrées, elle se serait drôlement moquée d'elle !

Le matin, elle partit à l'école et Atome-Pouce au travail. Les ouvriers stationnaient toujours devant l'usine avec leurs écriteaux mais il n'y prêta guère attention. Il ne pensait qu'au samedi où il allait toucher sa première paie et jusque-là il travailla à un rythme véritablement atomique.

Propp se montra généreux : il lui donna triple salaire avec une prime triple et lui offrit même une voiture pour ses déplacements.

Atome-Pouce courut dans un magasin et demanda quel était le cadeau le plus cher pour une jeune fille. On lui dit que c'était un manteau de fourrure et il l'acheta aussitôt. Puis il acheta dix quintaux de livres pour le professeur Zacharie. Il acheta même un cadeau pour Fantasio : cinq kilos de mou. Il dépensa tout son argent : de toute façon, son prochain salaire suffirait pour payer les vacances de Colombine.

Colombine lui fit un accueil triomphal : elle lui donna même un baiser et courut s'admirer dans la glace avec sa fourrure.

– Ces livres sont pour vous professeur, dit Atome-Pouce en indiquant les caisses qu'il avait entassées dans le couloir. Ils vous seront très utiles pour vos recherches.

Zacharie ouvrit les caisses et y trouva une tonne de romans policiers, de manuels de floriculture, de recettes de cuisine, de traités sur les jeux de cartes. Atome-Pouce avait acheté tout cela au poids.

– Ils vont m'être en effet utiles, dit Zacharie pour ne pas le décevoir. A propos, comment as-tu fait pour gagner tout cet argent ?

– En travaillant ! répondit fièrement Atome-Pouce, ravi d'être désormais un brave garçon qui aidait sa famille. J'ai même une auto : elle m'a été offerte par mon patron, un monsieur très généreux.

– Bizarre, bizarre ; il me semble que tu gagnes un peu trop. Demain j'irai voir en quoi consiste ton travail.

Le lendemain Zacharie et Colombine

(qui avait mis son manteau de fourrure) accompagnèrent Atome-Pouce. Mais à peine furent-ils arrivés devant l'usine et eurent-ils vu les ouvriers avec leurs écriteaux qu'ils restèrent bouche bée.

— Quelle honte ! s'écria Colombine. Tu me dégoûtes ! Tu n'as pas de cœur !... Tu es un jaune !

Jaune ? Qu'est-ce que cela signifiait ? Pourquoi cette couleur ? Mais Atome-Pouce n'eut pas le temps de demander des explications à Colombine car il reçut en pleine figure la fourrure qu'elle venait d'enlever violemment.

— Qu'est-ce que j'ai fait de mal ? balbutia-t-il.

— Je n'accepte pas les cadeaux d'un briseur de grève ! hurla Colombine.

Ce mot était écrit sur les panneaux que brandissaient les ouvriers : GRÈVE.

— Mais enfin, protesta Atome-Pouce, je ne brise rien, au contraire, je construis des autos !... C'est toi qui les brises ! ajouta-t-il en voyant Colombine qui, de rage, était en train de donner des coups de pied à la voiture offerte par le patron.

Finalement, lui aussi se mit en colère :

— Oui, je sais, je ne comprends rien à

rien, je ne suis qu'un pauvre atome crétin de naissance ! Je n'ai pas étudié comme mademoiselle, moi, je ne connais pas le sens des mots « Du Guesclin » et « grève » !

— Calme-toi, Atome-Pouce, intervint Zacharie, écoute-moi : ces ouvriers n'ont pas interrompu leur travail parce qu'ils n'avaient pas envie de travailler, mais pour protester.

— Exactement, précisa l'un d'eux. A force de travailler à la chaîne, notre tête faisait tic-tac comme une horloge. Moi, par exemple, je dois visser des vis toute la journée : une, deux, trois, dix, vingt, cent, mille, et toujours à toute vitesse ! Tic-tac, tic-tac, visse, vas-y, visse, aujourd'hui, demain, toujours ! Sais-tu combien j'en ai vissé depuis que je travaille dans cette usine ? Au moins dix millions ! Crois-tu que ce soit juste de vivre pour visser des vis ? Je ne suis pas un tournevis, moi !

— Pourtant, moi, ce travail, je peux le faire, remarqua Atome-Pouce, et bien d'autres encore.

— Toi, tu es un atome, pas un homme, dit Zacharie. Mais, à force de répéter toujours les mêmes mouvements, ta tête à toi aussi commencerait à faire tic-tac. Peu à peu ton cerveau battrait comme une horloge : tic-tac, tic-tac et tu ne serais plus capable de penser. Tu n'aurais plus envie de jouer, de rire, de parler, et tu n'entendrais dans ta tête que ce tic-tac, et le patron disant : « Plus vite ! Plus vite encore !... »

C'était vrai, Propp ne cessait de lui répéter : « Plus vite ! Plus vite encore ! » et lui il accélérait. Il parvenait à effectuer le travail, mais au prix de quelle fatigue ! Et si à sa place il y avait eu un ouvrier ? Ou bien même Colombine et Zacharie ? Il les imagina faisant tic-tac, tic-tac toute la journée, pendant des semaines, des mois, des années... Ce tic-tac serait entré dans leur tête, ils auraient commencé à dire « tic-tac », à ne rêver que de vis... Ils n'auraient plus souri, ni chanté, ni eu envie de parler et de plaisanter avec lui. Non, décidément, ce n'était pas juste, personne ne devait devenir un tic-tac, ni Colombine, ni Zacharie, ni les ouvriers.
– C'est une injustice ! dit-il. Il faut protester !

– C'est précisément ce que nous faisons en nous mettant en grève, expliqua un ouvrier. Propp n'a qu'une idée : vendre le plus possible d'autos pour gagner le plus possible ; nous, nous voulons travailler sans devenir fous.

– Maintenant j'ai compris, déclara Atome-Pouce. Je ne serai plus jamais un jaune, un briseur de grève.

Et, se tournant vers l'usine, il cria de toutes ses forces :

– Propp, c'est fini, je ne travaille plus pour toi ! Le tic-tac, fais-le toi-même !

Personne ne mit plus les pieds dans l'usine et Propp fut obligé de céder. Les ouvriers retournèrent au travail et il ne put plus les traiter comme des machines : il devint un peu moins patron et les ouvriers un peu plus libres.

Quant à Atome-Pouce, ayant cessé de travailler, il ne gagna plus d'argent. Et, du coup, il vit s'évanouir son espoir d'offrir des vacances à Colombine.

L'été approchait et il pensait tristement :

« Elle va partir avec sa grand-mère et peut-être, quand elle sera loin, elle m'oubliera... »

13. On part en vacances

Le jour fatal arriva : celui de la fermeture des écoles.

A table, Atome-Pouce ne desserrait pas les dents et ne faisait même pas attention à Fantasio qui se frottait à ses jambes. La grand-mère n'allait certainement pas l'inviter : les atomes lui étaient antipathiques, il s'en était aussitôt aperçu. Quel triste été sans Colombine !

Elle, au contraire, elle mangeait joyeusement et avait les yeux pleins de malice de quelqu'un qui cache quelque chose : était-il possible qu'elle fût contente de ne pas partir avec lui parce qu'il avait fait le briseur de grève ? Elle lui avait même dit qu'il n'avait pas de cœur. Mais était-ce sa faute s'il était né atome et si à la place du cœur il avait un noyau ?

— Papa, dit tout d'un coup Colombine, tu te souviens qu'un soir tu m'as dit que, si nous n'avions pas la même opinion sur tel ou tel sujet et que tu t'apercevais que tu avais tort, tu changerais d'avis ? Eh bien, comme c'est précisément ce qui va se produire maintenant, il va falloir que tu tiennes parole. Tu t'en souviens ? Tu me l'as dit à la fin du neuvième chapitre.

Zacharie ne comprenait pas.

— Il s'agit des vacances, précisa Colombine.

Zacharie continuait à ne pas comprendre. Atome-Pouce, lui, frémissait d'anxiété.

— Papa, ne m'envoie pas en villégiature avec grand-mère.

— Pourquoi ? Tu y vas tous les ans...

— C'est justement sur ce point que tu as tort. Je vais te le démontrer et tu seras bien obligé de l'admettre. Écoute-moi bien. Primo : j'ai grandi, je ne suis plus une petite fille. Secundo : grand-mère n'a pas l'intention d'emmener Atome-Pouce avec nous. Tertio : du coup, Atome-Pouce resterait ici à s'ennuyer. Quarto : tu peux très bien te passer de lui pour tes recherches pendant quelque temps. Quinto : c'est vrai qu'Atome-Pouce était un cancre à l'école, mais il n'en reste pas moins qu'il a travaillé pour toi et que, même si c'est un atome, il a droit à des vacances. Sexto...

Zacharie comprit enfin :

— Tu veux partir en vacances toute seule avec lui ? Mais voyons, deux enfants seuls...

— Papa, déclara Colombine avec solennité, tu m'étonnes douloureusement ! Tu as toujours proclamé que tu étais un père moderne, que tu avais confiance en moi, et que tu me laisserais toute la liberté que je mérite. Le moment est venu de le prouver.

— Professeur, intervint Atome-Pouce, vous n'avez aucun souci à vous faire pour Colombine : je suis là pour la protéger. Si quelqu'un osait l'effleurer du doigt, je... je le pulvériserais !

— C'est vrai, admit Zacharie, tu es très fort, tu pourrais la protéger mieux qu'un bataillon de gorilles... Mais ta grand-mère, Colombine ? Elle t'aime bien, tu le sais.

— Moi aussi je l'aime bien. Je lui enverrai un tas de cartes postales.

Fantasio avait déjà deviné ce qui allait se passer : puisque Atome-Pouce et Colombine partaient ensemble en villégiature, il devait se préparer à les accompagner. Il était déjà en train de faire la liste du nécessaire à emporter quand Zacharie conclut :

— D'accord, Colombine : tu passeras un mois avec Atome-Pouce et un mois avec ta grand-mère.

Colombine lui sauta au cou :
— Je t'adore ! Tu es vraiment le papa le plus moderne et le plus intelligent du monde !

De joie, Atome-Pouce faillit lancer une grande gerbe d'étincelles mais se retint à temps.

— Professeur, commença-t-il, débordant de gratitude, je...

Colombine l'interrompit brutalement :
— Toi, tais-toi et sors !

Allons bon, qu'avait-il encore fait de

mal ? Mortifié, il quitta la pièce sur la pointe des pieds.

En fait, Colombine l'avait chassé pour dire une chose à son père sans qu'il l'entende :

— Je vous aime beaucoup, toi et grand-mère, mais j'aime aussi beaucoup Atome-Pouce. Ça t'ennuie, papa ?

— Non, bien sûr, au contraire. Pour ne rien te cacher, ton comportement avec lui m'inquiétait un peu. Tu disais « il est à moi » comme si c'était un jouet, tu l'accablais de reproches, bref, je trouvais que tu profitais un peu trop du fait que c'est une bonne pâte.

— Quel rapport ? Les garçons et les filles ne sont-ils pas égaux ? C'est ce que je m'efforce toujours de lui rappeler... à ma façon, naturellement, pour qu'il ne se donne pas de grands airs. Et puis, tu sais, nous, les filles, nous aimons nous sentir importantes...

Zacharie sourit :

— Tu as une drôle de façon de raisonner. Enfin, puisque ça a l'air de plaire à Atome-Pouce...

— Il ne manquerait plus que ça ! éclata

Colombine. Gare à lui si ça ne lui plaisait pas !

Comme depuis la mort de sa femme sa belle-mère ne venait plus à la maison, Zacharie alla lui rendre visite en compagnie de Colombine et d'Atome-Pouce.

Lorsqu'elle apprit que Colombine partait un mois avec Atome-Pouce, elle faillit s'évanouir.

— En vacances tout seuls ? Mais c'est une folie ! Je suis sûre que ma petite Colombine chérie va se faire enlever ! Elle va mourir de faim ! Elle finira à l'hôpital !... Pauvre de moi, je n'ai qu'une petite-fille et je la perdrai, je ne la reverrai plus jamais !

Zacharie tenta de la rassurer :

— Ne vous inquiétez pas, Atome-Pouce saura bien la protéger.

— Qui ? Ce machin-là ? Vous plaisantez ? Je le sais bien, moi, comment ça va se terminer : ils fréquenteront des voyous, ils voleront, et Colombine se retrouvera en prison ou en maison de correction... Ah ! Colombine, si ta pauvre maman était encore de ce monde ! Tout cela ne serait pas arrivé si elle n'avait pas épousé le professeur : je le lui avais pourtant bien dit que tous les savants sont fous !

Zacharie et Colombine s'abstinrent de réagir, pour ne pas envenimer la discussion.

— Allons, grand-mère, conclut Colombine, conciliante, ne dramatisons pas. Tu verras, tout ira bien. Je t'écrirai des cartes postales...

Mais elle eut beau se jeter dans ses bras et lui donner de gros baisers, elle ne put empêcher la pauvre femme de rester convaincue qu'elle la voyait pour la dernière fois.

Le soir on établit le programme des vacances.

Toute la famille était présente : Zacharie, Colombine, Atome-Pouce et, vautré sur un fauteuil, Fantasio.

— Que les choses soient bien claires entre nous, Atome-Pouce, déclara d'entrée Colombine, il est bien entendu qu'on ira où je veux.

Zacharie lui jeta un regard sévère.

— Tu n'es pas la patronne, lui dit-il, Atome-Pouce lui aussi a le droit de choisir. Et même, puisque tu le prends

155

sur ce ton, c'est justement lui qui va choisir. Où préfères-tu aller, Atome-Pouce ?

— A la mer, souffla Colombine à voix basse.

— A la mer, dit Atome-Pouce.

— Bien, trancha Zacharie. Atome-Pouce a choisi : vous irez à la mer.

Fantasio fit la grimace. Il détestait les bains et ne supportait pas l'humidité. Son rêve était de partir à la campagne, pour pouvoir enfin s'offrir une bonne fois une ventrée de rats des champs. Bon, patience, il fallait bien se résigner : pas question de rester en ville avec la chaleur qu'il faisait. Ma foi, il mangerait du poisson. Et puis il essaierait les bains de sable.

Aussitôt on prépara les bagages : Atome-Pouce aida Colombine à remplir une malle de maillots de bain, serviettes, parasols, chaises et tables de camping, bouées, canots pneumatiques...

Le lendemain matin, ils embrassèrent Zacharie ; Atome-Pouce chargea l'énorme malle sur son dos et Colombine lui ouvrit la porte.

Fantasio, qui avait préparé son coussin et sa gamelle, fit un bond. Comment ? Atome-Pouce ne lui prenait pas ses affaires ? Il n'allait quand même pas prétendre qu'il les porte lui-même ? Il protesta en miaulant énergiquement, et Colombine se pencha pour le caresser.

— Au revoir, Fantasio, dit-elle, et elle sortit en lui claquant la porte au nez.

Quoi ? Ils le laissaient en plan ? Ils ne l'emmenaient pas avec eux ? Alors, comme ça, lui il n'avait pas droit aux congés payés ?

« Bande de négriers, je vais me plaindre au syndicat des chats domestiques ! » Indigné, il miaulait furieusement en griffant la porte.

— On dirait qu'il leur dit au revoir, remarqua Zacharie. Pas de doute, il leur est très attaché...

Attaché, tu parles ! Attaché à une corde, oui, enchaîné à la maison comme un esclave ! C'était un abus de pouvoir caractérisé, une injustice criante, une atteinte à la démocratie !

— Nous voici seuls, Fantasio, dit le professeur. Nous nous tiendrons compagnie...

Il se baissa pour le caresser, mais Fantasio était déjà parti ruminer sa colère dans un coin.

14. Vacances
mouvementées

Atome-Pouce planta le parasol sur la plage, installa la chaise longue pour Colombine, puis gonfla la bouée et le canot pneumatique.

Il avait promis à Zacharie de veiller sur sa fille et c'était pour lui un devoir sacré.

— Tu as chaud, Colombine ? Veux-tu que je te fasse de l'air ?

Il prit un éventail et l'agita.

— Désires-tu quelque chose ? As-tu soif ?

Il courut lui acheter une boisson.

Colombine se laissait servir comme une princesse

– Veux-tu te baigner ? Attends, je vais creuser un canal dans le sable pour amener la mer jusqu'ici.

– Merci, pour aujourd'hui c'est moi qui ferai le déplacement, concéda Colombine, et elle daigna faire les cinq pas qui la séparaient de la mer.

Elle plongea, mais, dès qu'elle réapparut :

– Brrrou ! L'eau est froide ! dit-elle en frissonnant.

Mon Dieu, et si elle allait prendre une pneumonie ? Atome-Pouce bondit dans l'eau à côté d'elle. Aussitôt Colombine sentit une délicieuse tiédeur : comme un chauffe-bain, Atome-Pouce était en train de réchauffer la mer.

– Maintenant on est bien. Bravo, Atome-Pouce.

La surface de l'eau fumait, on avait l'impression d'être dans une baignoire, mais la température continuait à monter très vite.

– N'exagère pas, Atome-Pouce, ça devient un peu trop chaud... Eh ! attention, ça brûle !... Assez !... Au secours, ça bout !

Colombine regagna la plage en hurlant, suivie de tous les autres baigneurs.

Désormais la mer bouillonnait comme une chaudière, et il ne restait plus qu'Atome-Pouce au milieu de la vapeur : habitué qu'il était aux températures des explosions atomiques, pour lui c'était tout juste un bain tiède.

— Espèce de fanatique ! lui cria Colombine. Tu n'as pas de mesure !

Les autres baigneurs aussi étaient furieux et hurlaient :

— Tu veux nous faire cuire comme des spaghetti, ou quoi ? Sors de l'eau, on va te régler ton compte !

Très vexé, Atome-Pouce se hâta de refroidir l'eau. Mais à peine la vapeur se fut-elle dissipée qu'un gros monsieur se mit à crier joyeusement :

— Regardez !

A la surface de la mer flottaient toutes sortes de poissons : ils avaient l'air cuits juste à point et il s'en dégageait une odeur exquise.

— Du poisson tout frais ! exultaient les baigneurs.

— Hé ! jeune homme, attrape-moi cette sole !

— Pour moi, ce sera un merlan !

— Moi je veux ce beau brochet, là-bas à ta gauche !...

Atome-Pouce en ramassa de pleins paniers : des soles, des rougets, des dorades, il y en avait pour tous les goûts, il suffisait d'y mettre un peu d'huile et quelques gouttes de citron.

Un joyeux banquet s'improvisa sur la plage et Atome-Pouce fut très fêté : on n'avait jamais mangé autant de poisson et aussi frais, et sans dépenser un sou.

Il n'y en avait qu'un qui ne mangeait pas : en effet, il était en service commandé, c'était un agent en civil. A vrai dire, lui aussi il avait quelque chose à dévorer, mais des yeux : une personne. Il sortit de sa poche une sorte de petit livre et commença à le feuilleter. A chaque page un individu à la mine patibulaire le regardait et au-dessous il y avait écrit : « voleur », ou « faussaire », « assassin », « contrebandier ». C'étaient les photos des plus dangereux repris de justice recherchés par la police.

L'agent continuait à feuilleter son répertoire quand soudain, arrivé à la page 337...

– C'est lui ! murmura-t-il, triomphant. Pas de doute : corps rond, tête ronde surmontée d'un petit bidule mobile.

La photo portait cette légende : « Le capturer mort ou vif. Très dangereux : atomique, thermonucléaire, radioactif. »

L'agent courut téléphoner au commissariat :

– Envoyez vite des renforts, le numéro 337 se trouve ici, à la mer. Ne vous en faites pas, je l'ai à l'œil, je ne le lâcherai pas d'une semelle !

Rêvant déjà d'une promotion, il retourna au pas de course sur la plage pour surveiller les mouvements de ce précieux criminel en fuite. Ses yeux, jaunes comme ceux d'un félin, fouillèrent parmi les baigneurs qui faisaient ripaille entourés de gros tas d'arêtes de poisson, se fixèrent sur le parasol de Colombine. Malédiction ! Le 337 et sa complice avaient disparu !

Voici ce qui s'était passé : après avoir mangé une belle sole, Colombine avait soupiré :

– Quelle chaleur !

Le soleil tapait à pic et le sable était brûlant.

– Tu préférerais un endroit frais ? demanda Atome-Pouce, toujours aux petits soins.

– Ah la la ! si seulement c'était possible ! Mais où trouver un endroit frais ?

Atome-Pouce se précipita dans un magasin proche de la plage et revint aussitôt en disant :

– Pas de problème, c'est possible, viens !

Il prit Colombine par la main et la fit monter dans le canot pneumatique.

Il commença à ramer de toutes ses forces et en un clin d'œil la côte disparut à l'horizon. Le canot filait à la vitesse d'une torpille. Quelques minutes plus tard, ils aperçurent une immense étendue de glace.

(Au même moment, les yeux de l'agent devenaient verts de rage en voyant le parasol désert.)

Le canot aborda si brutalement le rivage que sous le choc il éclata.

Pas très loin, on voyait d'étranges petites coupoles blanches, d'où accouraient des gens emmitouflés dans des pelisses.

– Où diable m'as-tu emmenée, Atome-

Pouce ? demanda Colombine, endolorie et tremblante.

– Au pôle Nord. Ne cherchais-tu pas un endroit frais ? C'est l'endroit le plus frais du monde, je l'ai trouvé dans un atlas, à la librairie de la plage.

– Soyez les bienvenus, déclarèrent les Esquimaux.

Colombine avait bien trop froid pour penser à se mettre en colère ou à s'enorgueillir d'être la première personne qui fût jamais arrivée au pôle Nord en maillot de bain. Fort heureusement, les Esquimaux lui donnèrent une pelisse et des bottes fourrées.

Atome-Pouce la regarda, déçu : pourquoi n'était-elle jamais contente ?

– Si même cet endroit ne te semble pas assez frais, alors dis-moi où tu veux que je t'emmène...

– A la maison ! cria Colombine. Mais hélas, nous ne pourrons plus jamais rentrer. Le canot a éclaté : comment faire pour partir d'ici ?... Pauvre papa, il va se faire un mauvais sang !...

– Je l'avertis tout de suite, dit Atome-Pouce. Excusez-moi, demanda-t-il, où y a-t-il un téléphone ?

– Hi hi hi !...

Les Esquimaux se mirent à rire : pas de téléphone au pôle Nord.

– Alors accompagnez-moi à la poste : il faut que j'envoie une carte postale au professeur Zacharie.

– Hi hi hi !...

Les Esquimaux riaient à nouveau : pas d'igloo postal.

– Ne t'inquiète pas, Colombine, supplia Atome-Pouce. J'ai promis de te protéger et je tiendrai parole. Commande et j'obéirai. Que dois-je faire ?

– Rien ! répondit Colombine en lui jetant un regard de commisération. Tu ne sais donc pas que le Pôle est entouré par la mer ? La seule chose à faire est de demander l'hospitalité dans un igloo et de nous y installer pour dormir.

Mais dans les igloos aussi il faisait froid, même pour les Esquimaux, et Colombine claquait des dents.

– Je vais y remédier tout de suite, affirma Atome-Pouce.

Il fit le tour de tous les igloos, les relia par un fil de fer et saisit les deux bouts.

Aussitôt on sentit une douce chaleur : dans chaque igloo fonctionnait un parfait chauffage thermonucléaire.

Atome-Pouce jubilait : enfin cette fois il avait réussi son coup, et Colombine dormait déjà à poings fermés. Le lendemain matin, après une bonne nuit de repos, bien douillettement au chaud, elle allait sûrement tout lui pardonner. Il ferma les yeux, satisfait.

Le matin, quand il se réveilla, il s'aperçut que le plafond blanc de l'igloo était devenu bleu. Bleu ciel. Mais oui, comme c'était bizarre, il avait tout à fait la couleur du ciel...

– Inconscient ! Imbécile ! (Colombine venait de se réveiller et grelottait.) Regarde ce que tu as fait ! Décidément, tu n'en rates pas une !

Effectivement, c'était bien le ciel : la coupole de l'igloo n'existait plus. Sous l'effet de la chaleur la glace avait fondu, tous les igloos avaient disparu, et les Esquimaux se retrouvaient à découvert sous le ciel polaire.

– C'est ainsi que tu les récompenses de leur hospitalité ? hurla Colombine.

– Nous les referons, dirent gentiment les Esquimaux. Ce n'est pas le matériau de construction qui manque ici, et ça ne coûte rien.

– C'est à moi de réparer les dégâts, proposa Atome-Pouce. Tu vas voir, Colombine, quels progrès j'ai faits en architecture !

Il s'attela à la tâche et en quelques minutes construisit un gratte-ciel, naturellement avec le seul matériau disponible : la glace. Un beau gratte-ciel très confortable, avec un tas de fenêtres, de vérandas, de balcons, et même une belle piscine avec plongeoir.

E Pourquoi cette piscine ? s'enquit Colombine. Pour les bains polaires ?

Mais les Esquimaux, eux, se montrèrent ravis : chacun d'eux avait un appartement de cinq pièces.

– Nous allons fêter la nouvelle maison avec un bon petit repas, dirent-ils.

Ils prirent leurs kayaks pour partir à la pêche.

– Non, non, laissez, protesta Atome-Pouce, je m'en occupe. (Il s'empara d'un harpon et sauta dans un kayak.) Le repas, c'est moi qui l'offre.

Peu après il revint en portant une

baleine à bout de bras, comme sur un plateau.

– Je suppose que ça suffit et que...

Mais il n'eut pas le temps de finir sa phrase : les Esquimaux, brandissant couteaux et fourchettes, se précipitèrent à l'assaut de la baleine, et bientôt il n'en resta plus que le squelette.

– Ah bon, ça ne suffit pas ! constata Atome-Pouce.

Il reprit le kayak et retourna pêcher.

Un jet d'eau jaillit de la surface de la mer : une autre baleine se dirigeait vers lui. Il brandit le harpon et se préparait à le lancer, mais son bras resta figé en l'air...

Il s'agissait d'une petite baleine toute jeune qui errait tristement en regardant autour d'elle, comme si elle cherchait quelqu'un. Son jet d'eau avait des hoquets, comme si elle sanglotait.

Atome-Pouce éprouva un cuisant remords : de toute évidence elle était en train de chercher sa maman, la baleine que les Esquimaux avaient dévorée. La pauvre, elle ignorait encore qu'elle était une baleine orpheline. Atome-Pouce, grâce à Colombine, savait bien désormais combien souffrent ceux qui ont perdu leur maman...

D'un coup de rames, il la rejoignit et la saisit par la queue :

— N'aie pas peur, pour rien au monde je ne ferais de mal à une orpheline. Je vais te présenter à une amie qui saura te consoler.

Délicatement, il la tira vers le rivage.

Dès qu'ils les virent, les Esquimaux accoururent, armés de leurs couteaux et de leurs fourchettes.

— Non, cette fois, pas touche ! recommanda Atome-Pouce. Comportez-vous en gentlemen !

Il la mit dans la piscine et planta un écriteau : *Jeune baleine orpheline : pêche formellement interdite.*

— La pauvre, nous nous tiendrons compagnie, dit Colombine. Entre orphelines il faut s'entraider... Au fait, elle doit avoir faim : Atome-Pouce, procure-lui de quoi manger.

Atome-Pouce repartit encore à la pêche, cette fois avec une canne. Il ramena un panier plein de poissons que Colombine déversa dans la gueule grande ouverte de la baleine. Mais, pour une jeune baleine en pleine croissance, ce n'était guère qu'un petit hors-d'œuvre.

– Vite, dit Colombine, cours lui en chercher d'autres. Il faut qu'elle mange pour grandir.

Dès lors Atome-Pouce passa son temps à faire la navette entre la mer et la baleine, chargé de paniers de poissons. Il n'arrivait à la rassasier qu'en pêchant toute la journée avec une bonne dizaine de cannes. La baleine oublia peu à peu son chagrin et s'attacha beaucoup à eux, surtout à Colombine : peut-être parce que c'était elle qui lui donnait à manger, ou alors parce qu'elle avait compris qu'elles étaient toutes deux de pauvres

orphelines... Elle la regardait tendrement avec ses gros yeux, lui léchait la main et, quand Colombine lui grattait son énorme tête, elle finissait même par ronronner.

– Comme elle est mignonne ! s'extasiait Colombine. Veux-tu que je te dise ? Eh bien, ma foi, je commence à aimer le pôle Nord.

15. Cependant Zacharie et Fantasio...

« Quand même, ils pourraient envoyer au moins une carte postale », pensait Zacharie. Mais, connaissant la force d'Atome-Pouce et le caractère raisonnable de sa fille, il ne s'inquiétait pas.

Il n'en était pas de même de la grand-mère qui téléphonait tous les jours, de plus en plus angoissée :

– Toujours pas de nouvelles ? Mon Dieu, faites quelque chose, cherchez-la, prévenez la police ! On l'a sûrement enlevée, qui sait où elle se trouve maintenant !

– Ne vous inquiétez pas, où voulez-vous qu'elle soit ? A la mer, voyons !

... (Mais quelle mer ! L'océan Glacial Arctique !)

Zacharie raccrochait et se replongeait dans son travail.

Fantasio, qui avait pris possession du lit de Colombine, en descendait quelquefois pour aller voir Zacharie dans le laboratoire.

« Pauvre nigaud, pensait-il, au lieu de profiter de la fraîcheur de la nuit et de contempler les étoiles, il reste sans arrêt enfermé, penché sur son bureau à faire ces calculs stupides. »

Pelotonné sur un fauteuil, il s'ennuyait.

« Quelle barbe de vivre avec un savant ! Il n'a jamais envie de jouer, et il ne lui viendrait même pas à l'esprit de me faire des grattouilles sur la tête... »

Parfois, pourtant, Zacharie se reposait un petit moment en fumant une cigarette et lui parlait :

– C'est un projet magnifique, tu sais, Fantasio, et grâce à Atome-Pouce j'arriverai à le réaliser. L'Académie des sciences l'acceptera certainement. Mais tu n'es qu'un chat, tu ne peux pas comprendre la joie qu'on a à travailler pour le bien-être de l'humanité...

« Et allez donc, ça le reprend ! pensait Fantasio. C'est peut-être un grand savant, je ne discute pas, n'empêche que je n'échangerais même pas une moustache avec lui. Il n'a pas un gramme d'imagination : la vie, mon cher patron, il faut en profiter le ventre en l'air, sans rien faire ! Je suis cent fois plus intelligent que toi, même si je n'ai pas pu faire des études et obtenir un doctorat... Tiens, mais au fait, après tout, puisque je vis avec un professeur, j'ai droit moi aussi à un titre universitaire, oui ou non ?... Je me présente : professeur Fantasio, docteur ès sciences ! Ma foi, ça sonne bien... »

Parfaitement, il irait s'en vanter auprès des chats du voisinage : « Miaou, bonjour, mes amis, je suis le professeur Fantasio. Pas de familiarités, je vous prie, gardez vos distances... »

Toute la nuit, pendant que Zacharie travaillait, Fantasio restait sur le toit à contempler la lune. Elle lui plaisait, cette boule argentée. Dommage qu'elle fût toujours si loin dans le ciel. Si au moins une fois elle s'était approchée de la terre suffisamment pour lui permettre d'y faire un saut, histoire de voir s'il n'y avait pas de souris ! Qui sait comment elles étaient, ces souris lunaires : elles devaient sûrement être toutes blanches, avec un bon petit goût de lait.

Mais les hommes n'étaient pas capables d'apprécier ces délices... Ils étaient si bizarres. Par exemple, ces gens qui jour et nuit restaient cachés dans les buissons autour de la maison : quel plaisir pouvaient-ils bien éprouver à la guetter ainsi ? De toute façon il n'y avait pas de souris, il était bien placé pour le savoir. Alors, qui guettaient-ils ? Lui ou Zacharie ? Devait-il se mettre à miauler pour avertir le professeur ou non ?

Bah ! mieux valait ne pas se mêler des affaires des hommes : un chat digne de ce nom ne s'occupe que des siennes.

« Laissons-les guetter si ça leur chante... Pauvres ingénus, ils croient que je ne m'en suis pas aperçu ! Comme si je ne voyais pas briller leurs yeux dans l'ombre des buissons !... Bien entendu, le professeur, lui, ne se rend compte de rien. Pensez-vous, il est bien trop occupé

à réfléchir au bien-être de l'humanité !...
Quoi qu'il en soit, j'ai la conscience
tranquille : je suis un chat domestique,
pas un chat de garde... L'espionnage,
moi, je ne mange pas de ce pain-là. »

C'est ainsi que Zacharie continua d'i-
gnorer que sa maison était sous surveil-
lance et que, comme on va le voir, ce
n'était pas une mince affaire.

16. Voyage en baleine

Dans la piscine, la jeune baleine (que Colombine, spécialisée dans les noms de baptême, avait appelée Jonas) grandissait à vue d'œil.

Elle ne faisait que manger et Atome-Pouce était obligé de pêcher sans arrêt pour la nourrir. Il l'aimait bien, certes, mais ça l'ennuyait de passer ainsi ses journées loin de Colombine.

– Et si je faisais bouillir l'eau comme à la plage ? proposa-t-il à Colombine. Ça ferait monter à la surface une quantité de poissons cuits à point, et Jonas aurait ainsi la nourriture assurée pour un bon bout de temps.

– Tu es fou ? Ça ne te suffit pas d'avoir fait fondre les igloos ? Maintenant tu veux liquéfier le pôle Nord tout entier ?

Atome-Pouce continuait à se creuser la cervelle. Finalement il lui vint une idée : il trempa un doigt dans la mer et émit une décharge de courant à haute tension qui se propagea sur plusieurs milles à la ronde. Pour les poissons, ce fut la condamnation à la chaise électrique. Il y en eut assez pour alimenter durant des mois et Jonas et les Esquimaux.

Mais c'est alors qu'arrivèrent de nombreuses délégations de morses et d'ours furieux : ils venaient protester car ils n'avaient pas du tout apprécié cette séance d'électrochocs. On vit même débarquer une délégation de pingouins du pôle Sud. Atome-Pouce les calma en mettant à leur disposition des provisions de poissons, tant et si bien que les pingouins décidèrent de se fixer au pôle Nord.

Pour distraire tout ce monde, Atome-Pouce construisit un grand stade de glace où les ours, les morses et les pingouins s'adonnaient à des courses de glissades

en présence des Esquimaux. Puis, dans un souci d'équité, il édifia un autre stade où les Esquimaux s'exhibaient pour les ours, les morses et les pingouins assis dans la tribune.

Attirés par la nouveauté de ces spectacles polaires, des troupeaux de phoques accoururent et Atome-Pouce fabriqua pour eux une autre piscine où ils organisèrent de passionnantes rencontres de water-polo.

C'est ainsi que le pôle Nord devint une station balnéaire très animée.

Pour Colombine ce furent de merveilleuses vacances, et du même coup pour Atome-Pouce aussi. Maintenant qu'il était débarrassé du souci de la pêche, ils prenaient chacun un kayak et faisaient ensemble de petits voyages dans les alentours ; ils ne trouvaient partout que des amis : phoques, pingouins, morses. Avant chaque départ, Colombine faisait solennellement promettre aux Esquimaux de ne pas manger Jonas, qui devenait de plus en plus grosse et appétissante.

Atome-Pouce n'avait jamais été aussi

heureux : Colombine ne l'accablait plus de reproches, elle était toujours gaie, détendue. Mais un jour elle le rappela brusquement à la réalité :

– Il y aura bientôt un mois que nous sommes ici, il faut rentrer, papa nous attend.

Quel idiot ! Il l'avait oublié : c'est lui qui devait la ramener à la maison, elle était sous sa protection. Mais il ne passait aucun bateau dans les parages, les Esquimaux ne possédaient pas de barques, sur les kayaks il n'y avait place que pour une seule personne, et enfin lui il savait tout faire, sauf nager.

– Pardonne-moi, dit-il désespéré, j'avais promis à ton père de veiller sur toi, et te voilà condamnée à rester ici pour l'éternité.

Colombine se mit à rire :

– Heureusement que je suis là pour remédier aux bêtises que tu commets ! Regarde, ajouta-t-elle en montrant la baleine, désormais elle est grande, c'est elle qui va nous ramener. N'est-ce pas, Jonas ?

Elle tendit la main et Jonas la lui lécha

affectueusement : ses petits yeux brillaient d'amour et de reconnaissance.

– Tu es un génie, Colombine ! s'exclama Atome-Pouce.

Aussitôt il creusa dans la glace un canal reliant la piscine à la mer : Jonas n'aurait plus qu'à s'y laisser descendre en douceur, comme un navire le jour de son lancement.

Ils saluèrent les Esquimaux, les pingouins, les phoques, et embarquèrent : sur le dos de la baleine il y avait plus d'espace que sur le pont d'un paquebot.

– Nous donnerons votre adresse à tous nos amis, dit Colombine aux Esquimaux, nous leur conseillerons de venir passer leurs vacances chez vous.

Jonas filait comme un croiseur, à cette différence près que ce n'était pas un panache de fumée qu'elle laissait dans son sillage, mais un magnifique jet d'eau qui retombait en pluie dans la mer.

Ils s'éloignèrent de la mer Arctique et entrèrent dans les eaux chaudes.

Ce fut une croisière inoubliable. Il n'y eut que deux incidents. Le premier quand Colombine cria, épouvantée :

— Alerte ! On veut nous manger notre bateau !

En effet, une bande de requins voraces était en train de foncer sur la pauvre Jonas qui tremblait de terreur à la vue de ces horribles gueules hérissées de dents pointues. Mais il suffit à Atome-Pouce de cracher dans leur direction — un petit crachat atomique — pour les pulvériser tous en un instant.

L'autre incident se produisit peu après leur entrée dans le courant tiède du Gulf Stream. Un poulpe-agent de police, qui réglait la circulation sur cette importante artère, s'approcha d'eux, l'air sévère, prétendant leur dresser une contravention parce qu'ils naviguaient en sens interdit. Mais Colombine commença à lui sourire, à faire des mines, elle dit que c'était elle qui conduisait, qu'elle n'avait son permis que depuis peu de temps, et qu'en somme pour une fois il pouvait bien fermer les yeux.

Le poulpe-agent se laissa attendrir.

Ils rencontrèrent des navires qui, les croyant naufragés, voulaient les prendre à bord. Pensez-vous : pour rien au monde Colombine et Atome-Pouce n'auraient consenti à quitter Jonas.

La baleine les ramena à bon port. Mais elle ne se décidait pas à se séparer d'eux, et pendant des heures ils durent la caresser et la consoler.

Atome-Pouce se procura un pinceau et écrivit sur son dos, en gros caractères :

BALEINE PRIVEE.
GARE A QUICONQUE
LUI DONNE LA CHASSE !

Quant à Colombine, après une énième caresse, elle lui susurra tendrement :
— Maintenant va, retourne dans tes eaux. Quand tu te marieras, appelle-nous, nous te servirons de témoins...

Jonas partit enfin et Atome-Pouce et Colombine coururent à la maison : leurs extraordinaires vacances étaient terminées.

17. Réquisitionné par les forces armées !

– Devine un peu, papa, où nous sommes allés... Au pôle Nord !

Zacharie sourit.

– Tu plaisantes, Colombine... Quand même, tu aurais pu prendre un peu de soleil, tu n'as pas du tout bronzé.

– Papa, tu m'étonnes douloureusement : tu devrais le savoir qu'au pôle Nord on ne bronze pas.

– Mais alors c'est vrai ! s'exclama Zacharie. Vous êtes vraiment allés au pôle Nord ?

Atome-Pouce était dans ses petits souliers : le professeur allait sûrement se mettre en colère, qui sait quelle punition il allait lui infliger... Mais non, bien au contraire, il se contenta de leur dire :

— Asseyez-vous et racontez-moi tout : ce voyage a dû être passionnant.

Pour Atome-Pouce ce fut une révélation merveilleuse : Zacharie avait tellement confiance en lui qu'il n'envisageait même pas que sa fille ait pu être en danger. Un si grand savant se fiait à un pauvre atome qui ne savait même pas qui était Du Guesclin !

De joie, il se baissa pour caresser Fantasio qui était venu aux nouvelles, mais le chat l'évita et se retira dignement dans la cuisine. Il était très vexé, ces deux idiots n'avaient même pas eu l'idée de lui apporter Jonas : dire qu'il aurait été le premier chat du monde à manger une baleine ! Tant pis pour eux, il se vengerait.

Le téléphone sonna : bien entendu, c'était la grand-mère de Colombine.

— Devine un peu, grand-mère, où Atome-Pouce m'a emmenée : au pôle Nord !... Grand-mère, tu m'entends ?... Allô ?...

Grand-mère, pourquoi ne réponds-tu pas ?...

Sous le choc, la pauvre femme n'arrivait pas à articuler un mot. Quand enfin elle y parvint :

– Cet inconscient ! Cet atome criminel ! Ton père devrait l'envoyer dans une maison de correction !... Tu aurais pu attraper un rhume ! Dis-moi la vérité, tu ne t'es pas montrée trop familière avec les jeunes Esquimaux, au moins ? Ah ! si ta pauvre maman était vivante ! Tu l'aurais fait mourir de chagrin !... Heureusement que maintenant tu vas venir passer un mois en ma compagnie : je vais pouvoir m'occuper de toi, je t'enseignerai comment doit se comporter une demoiselle comme il faut...

Colombine écouta sans souffler mot, mais quand elle raccrocha son visage était sombre. Elle avait oublié qu'elle devait passer un mois avec sa grand-mère, naturellement sans Atome-Pouce.

– Pas moyen d'y couper, ronchonna-t-elle. Pendant un mois entier il va falloir se farcir des leçons de bonnes manières. Merde alors !

– Colombine, dit sévèrement Zacharie,

je te prie une fois de plus de ne pas employer cette expression vulgaire. Maintenant prépare le dîner et appelle-moi quand il sera prêt, je vais au laboratoire.

Atome-Pouce était triste : Colombine allait le quitter pendant un mois, et par-dessus le marché elle semblait en colère. Il ne se rendait pas compte qu'elle était contrariée de partir avec sa grand-mère et que, ne sachant à qui s'en prendre, elle s'en prenait à lui.

— Bougre d'abruti ! Tout ça par ta faute... Eh bien quoi, qu'as-tu à me regarder ainsi ?

— Mais je...

— Tais-toi, tu ne comprends jamais rien ! Mets donc la table au lieu de te tourner les pouces !... Mais que fais-tu, imbécile ? Tu as encore cassé une assiette !

Plus Colombine se montrait agressive, plus Atome-Pouce perdait la tête et accumulait les gaffes.

— Où est le bifteck de papa ? C'est toi qui l'as mangé ?

— Je ne l'ai pas vu, je te le jure. C'est sûrement Fantasio qui l'a volé.

« Menteur ! (Fantasio se précipita sur

lui pour lui griffer les jambes.) Comment peux-tu te permettre de me traiter de voleur ? »

– Arrête, espèce de brute ! cria Colombine en voyant Atome-Pouce se baisser pour écarter le chat. Maintenant tu t'en prends à cette pauvre bête innocente ?

– Je ne l'ai même pas effleuré du doigt ! protesta Atome-Pouce.

Miaulant affreusement comme si on l'avait torturé, Fantasio courut se réfugier sous l'armoire où il avait caché le bifteck de la vengeance.

– Tu es méchant, tu n'as pas de cœur ! hurla Colombine. J'ai hâte de m'en aller avec grand-mère, au moins je n'aurai plus à te supporter pendant un mois !

Mais enfin, que lui arrivait-il ? Elle avait tellement changé tout d'un coup. Au pôle Nord elle était si gentille, et voilà que maintenant elle semblait le haïr. Il eut envie de pleurer, et deux étranges larmes phosphorescentes commencèrent à perler au coin de ses yeux.

Aussitôt dans le laboratoire retentit furieusement la sonnerie d'alarme et Zacharie accourut.

— Danger atomique ! cria-t-il. Vite, tous à la cave !

Mais, à peine eut-il vu Atome-Pouce :

— Alors, c'est toi ! dit-il abasourdi. Je t'en prie, ne pleure plus, tes larmes sont radioactives, extrêmement dangereuses.

Atome-Pouce se hâta de les ravaler et promit de ne plus jamais pleurer. Zacharie retourna au laboratoire.

— De mieux en mieux ! grogna Colombine. Non seulement tu es méchant et sans cœur, mais en plus tu as des larmes radioactives !

— Je le sais bien, va, que tu me détestes, déclara Atome-Pouce, exaspéré, et qu'au fond de toi-même tu souhaiterais avoir un vrai frère, en chair et en os, pas un atome comme moi.

Toute la joie des vacances s'était évanouie, et désormais il se sentait un étranger dans cette maison. Mieux valait sortir faire un tour, car l'envie de pleurer le prenait à nouveau à la gorge.

— Où vas-tu, crétin ? Il est tard, dehors il fait nuit...

Il ne répondit pas et franchit la porte

avant que Colombine ait pu l'en empêcher.

« Qu'est-ce qui a bien pu lui arriver ?
se demandait-il. Le pôle Nord lui aurait-
il glacé le cœur ? »

Tout entier à son chagrin, il marchait
sans s'apercevoir que des dizaines d'yeux
le guettaient dans l'ombre.

Celui qui s'en apercevait fort bien, par
contre, c'était Fantasio, perché sur le toit
en train de déguster son bifteck. Tous ces
yeux, qui depuis des jours et des jours
surveillaient la maison, maintenant suivaient avidement le moindre mouvement d'Atome-Pouce.

« Alors c'est lui qu'ils attendaient,
pensa-t-il. Faut-il l'avertir ? Il n'y a pas
de raison. S'il m'avait apporté la baleine,
d'accord, mais gratis, non. »

Atome-Pouce continuait à marcher
tête basse, perdu dans ses tristes pensées.

« Tant pis pour lui ! conclut Fantasio.
Et puis j'ai mes problèmes, moi. »

Digérant son bifteck, il contemplait la
lune : pas plus cette nuit que les autres
elle ne semblait décidée à s'approcher, et
même elle était étrangement plus petite,
une faucille blanche. Les souris lunaires

étaient-elles par hasard en train de la ronger ?

Émergeant des ténèbres, une silhouette apparut devant Atome-Pouce.
– Ciao ! dit-il distraitement. Vous désirez ?
Tout autour de lui se dressèrent d'autres formes humaines, un mur compact, plein d'yeux qui le fixaient. Une grosse voiture arriva, une portière s'ouvrit.
– Monte ! lui ordonna-t-on.
Atome-Pouce monta :
– C'est gentil à vous de me ramener à la maison.
La portière se referma brutalement et il se retrouva dans une voiture blindée qui démarra à toute allure dans un grand crissement de pneus.

– Vous vous trompez de direction, protesta Atome-Pouce, j'habite à l'opposé...
– Tu es réquisitionné par les forces armées ! tonna une voix autoritaire.

On venait de l'enlever : il se trouvait entre les mains du général Siméon.

Mais ici arrêtons-nous un moment et revenons en arrière. Ou plutôt, comme aurait dit le général Siméon : demi-tour, droite !

18. Les pourquoi du général Siméon

Pourquoi le général Siméon était-il caché près de la maison de Zacharie ? Pourquoi auparavant était-il allé à la Centrale atomique ? Et pourquoi était-il le général Siméon et non pas un simple monsieur Siméon ? Tous ces pourquoi appellent la même réponse.

Même s'il semble impossible que des généraux aient pu être des enfants, le général Siméon en avait été un. Mais, étant donné que tous les enfants jouent à la guerre et qu'ensuite certains seulement deviennent des généraux, il est clair que ceux-ci doivent avoir quelque chose de particulier.

A Siméon, par exemple, la maîtresse disait toujours : « Tu as la tête dure comme du bois, tu ne comprends vraiment rien. » Il n'aimait pas la poésie, ne lisait pas de romans, était nul en sciences.

Cependant, comme tous les enfants, lui aussi il rêvait. Mais à sa façon. N'ayant pas d'imagination, il rêvait qu'il commandait les autres parce que c'était pour lui l'unique moyen de se faire écouter. A force de faire ce rêve toutes les nuits, il lui vint une idée fixe : « Quand je serai grand je serai le général, celui qui commande. »

C'est pourquoi il choisit la carrière militaire et y réussit à merveille. Il ne pensait pas, ne discutait jamais, obéissait toujours au doigt et à l'œil : car il avait compris au moins une chose, c'est que pour faire carrière il fallait toujours dire oui.

A force de dire oui à ses supérieurs, il devint général et enfin tout le monde dut lui dire à lui : « Oui, mon général. »

Il continua à rêver, naturellement des rêves adaptés à son grade. Cela aussi semble impossible, et pourtant tous les généraux rêvent, et depuis les temps les plus reculés.

Il y a bien longtemps ils rêvaient de commander une grande armée équipée de gourdins ; puis d'épées et de lances, puis d'arcs, puis d'arquebuses, puis de fusils, de mitrailleuses et de canons, puis de chars d'assaut, d'avions et de lance-flammes. Aujourd'hui ils rêvent à peu près ce que rêve le général Siméon.

Les rêves de Siméon passaient toujours par des savants, et c'est un grand malheur quand un général pense aux savants. Car l'idée ne l'effleure même pas de leur dire : « S'il vous plaît, inventez un médicament pour guérir la vieillesse », ou : « Inventez une machine pour faire les devoirs. » Il dit : « Je vous ordonne d'inventer le canon le plus puissant du monde, un char d'assaut qui écrase ceux des ennemis, un avion capable de brûler un village, une bombe qui détruise une ville entière. »

Une bombe : voilà ce dont rêvait Siméon, une bombe atomique qui ferait de lui le maître de l'univers.

C'est pourquoi il se rendit à la Centrale pour ordonner au professeur Sénior et à

200

ses collègues de lui en fabriquer une.

C'est pourquoi il « réquisitionna » Atome-Pouce, comprenant qu'il tenait la poule aux œufs d'or.

C'est pourquoi, depuis qu'Atome-Pouce avait pris la poudre d'escampette, il avait passé son temps à le chercher. L'information transmise par un agent en service sur une plage lui avait permis de retrouver sa trace et, ayant repéré la maison où il habitait, il l'avait attendu anxieusement pour pouvoir enfin réaliser son grand rêve d'amour : la super-bombe !

19. A nouveau prisonnier !

Emmené au Quartier général de Siméon, Atome-Pouce fut enfermé dans une cellule blindée et enchaîné au mur par une cheville : la chaîne était d'un acier si résistant que même lui ne pouvait pas la briser.

Il criait :

– Je veux rentrer à la maison !

Mais Siméon et Von Baoum le regardaient sans répondre.

– Vous m'entendez ? Libérez-moi ! Je veux m'en aller !

Pas de réponse. Ils semblaient devenus sourds et continuaient à l'observer, pensifs.

– Bon, il n'y a plus de temps à perdre, Von Baoum, dit enfin le général. Le super-atome est entre tes mains : creuse-toi les méninges et construis-moi la bombe.

– Oui, mon général.

Von Baoum claqua des talons.

–˙ Quant à toi, machin, ajouta Siméon à l'adresse d'Atome-Pouce, je te fais le grand honneur de t'associer à ma stratégie.

Que signifiait « stratégie » ? Ce mot ne lui disait rien qui vaille : il rimait avec « folie ». Et puis Atome-Pouce se souvenait très bien des recommandations du papa de Colombine : ne jamais aider les généraux ni les savants qui se mettent au garde-à-vous devant les généraux.

– Tu as compris ? insista Siméon.

– Oui, répondit Atome-Pouce, et je dis : non !

– Qu'est-ce que c'est que cet atome insolent qui ose me désobéir ? Mettez-le aux arrêts !

Mais Atome-Pouce ne pouvait pas être plus aux arrêts qu'il ne l'était.

– Il vaut mieux essayer de le prendre par la douceur, suggéra Von Baoum.

Et, se tournant vers le prisonnier :

— Écoute, mon petit Atome-Pouce..., dit-il d'une voix mielleuse... Je sais que tes amis t'appellent ainsi et, ma foi, c'est un bien joli nom... Nous aussi nous sommes tes amis, nous t'aimons bien : sois gentil, fais-moi plaisir, donne-moi un peu de ton énergie atomique... Qu'est-ce que ça te coûte de m'en donner un peu ? Tu en as tant... Si tu veux je te la paie... (Il lui tendit un paquet de billets.) Tiens, ils sont à toi.

Il y en avait pour plusieurs millions, largement de quoi acheter une tonne de livres à Zacharie et offrir à Colombine des vacances pour toute sa vie. Colombine lui sourirait, ils feraient la paix... Mais qu'allait-il penser là ? Un atome ne se vend pas.

— Peut-être préfères-tu des friandises ? insista Von Baoum. J'ai là un vrai morceau de roi pour un atome. Le voici : uranium de première qualité, mon cher, rien que ça !

Il lui tendit sur une assiette un beau morceau d'uranium à se lécher les babines (sans parler du fait que c'était un merveilleux reconstituant, un véritable élixir de longue vie...).

Atome-Pouce en avait l'eau à la bouche

mais, héroïquement, il ravala sa salive et dit :

— Non !

— Tu l'aimes peut-être mieux en sauce ? Ou alors avec du beurre et du caviar ? Ne te gêne pas, demande, tu auras tout ce que tu veux.

— Non !

— C'est peut-être un atome ambitieux, intervint le général, qui en connaissait un bout en matière d'ambition. Si tu m'aides, je te nommerai chevalier de la Légion d'honneur.

Certes, cela aurait été beau de se présenter à Colombine en lui disant : « Faisons la paix, je suis devenu un gros bonnet du monde des atomes : tu as devant toi le chevalier Atome-Pouce ! » Mais il repensa aux recommandations de Zacharie et répéta :

— Non !

Mieux valait rester Atome-Pouce-un-point-c'est-tout.

— J'ai compris, reprit Siméon, toi aussi tu apprécies plutôt les honneurs militaires. Je vais te faire faire une magnifique carrière. Pour commencer, je te nomme capitaine.

– Non !

– Colonel !

– Non !

– Je te donnerai une médaille d'or, avec un beau ruban rouge et bleu.

– Non !

– Bizarre, remarqua Von Baoum, personne au monde ne refuserait de pareils honneurs. Serait-ce par hasard un atome anormal ? Aurait-il quelque défaut de fabrication ?

Il prit un appareil à rayons X et l'examina attentivement. Mais à part l'anomalie de sa taille il était parfaitement normal et en bonne santé, dûment muni de tous ses neutrons, ses électrons, ses protons bien en ordre, son noyau...

– Le noyau ! s'exclama Von Baoum. Regardez, mon général : maintenant tout s'explique ! C'est un atome pourvu d'un cœur !

En effet, le noyau d'Atome-Pouce, à la différence de celui de tous les autres atomes, avait vraiment la forme d'un cœur, et ce cœur avait une belle couleur rouge.

– Il a un cœur, c'est pour ça qu'il n'obéit pas ! Quelle guigne !

Pour Atome-Pouce, au contraire, ce fut une révélation délicieuse : que de fois Colombine lui avait reproché d'être sans cœur ! Oh ! pouvoir courir lui dire : « Colombine, moi aussi j'ai un cœur, comme toi ! »

Mais il était enchaîné dans une cellule et qui sait quand il pourrait retourner auprès d'elle. Peut-être ne la reverrait-il plus jamais. Il baissa la tête et eut envie de pleurer. Toutefois il se souvint de Zacharie et résista : le professeur lui avait recommandé de ne jamais pleurer car ses larmes étaient radioactives, dangereuses. Comme elle était difficile, la vie d'un atome : il ne pouvait même pas pleurer quand il avait du chagrin !

Il était si triste qu'il ne s'aperçut pas que Von Baoum, ayant renoncé à le convaincre, avait mis en pratique une idée géniale : il l'avait introduit dans un pressoir gigantesque, espérant ainsi en extraire son énergie atomique comme on tire le jus d'une orange pressée.

Mais l'expérience ne donna aucun résultat : plongé dans ses lugubres pensées, Atome-Pouce ne sentait même pas l'énorme poids qui l'écrasait.

– Qui est-ce qui m'a fichu un savant pareil ? grogna Siméon. Espèce de minable, invente autre chose !

Von Baoum claqua des talons :

– Oui, mon général.

Cependant il tâtonnait désespérément à la recherche de quelque autre « idée géniale »...

– Ça y est, j'ai trouvé ! cria-t-il tout à coup. Allons-y pour l'expérience de la cuisson ! Je vais faire bouillir Atome-Pouce comme une poule : ça nous fournira un bon bouillon atomique que je verserai dans une bombe.

Il plaça Atome-Pouce dans une grande marmite, mais pour celui-ci ce ne fut rien de plus qu'un agréable bain chaud.

– Bougre d'âne, je t'ordonne de devenir intelligent ! hurla le général Siméon.

– Oui, mon général.

Von Baoum claqua des talons, affolé. Mais hélas, même avec la meilleure volonté du monde, il ne pouvait pas obéir à un ordre pareil.

20. Un nom écrit dans le ciel

Zacharie et Colombine attendirent en vain le retour d'Atome-Pouce.

« Qu'a-t-il bien pu lui arriver ? » se demandait Colombine, inquiète.

« C'est bien simple, on l'a enlevé, pensait Fantasio. Mais je ne veux pas m'en mêler : je risquerais d'avoir affaire à la police, et peut-être même de finir à la fourrière... »

Atome-Pouce n'étant toujours pas rentré tard dans la nuit, Zacharie et Colombine partirent à sa recherche. Ils firent le tour de la ville, s'informèrent au service des urgences de l'hôpital, et même au bureau des objets trouvés :

rien, personne ne l'avait vu, il avait disparu. Quand enfin, désolés, ils furent revenus à la maison, Colombine, baissant la tête, bredouilla :

— Papa... Je crains... d'avoir compris... Il s'est enfui.

— Mais que vas-tu te mettre en tête ? Atome-Pouce nous aime bien, pourquoi aurait-il fait une chose pareille ?

— Il s'est enfui, te dis-je, et par ma faute : il ne pouvait plus me supporter.

Ainsi parla Colombine, et c'est alors qu'il se produisit une chose extraordinaire : elle éclata en sanglots. Elle qui n'avait jamais versé une larme de sa vie et qui se moquait toujours de ses camarades quand elles pleurnichaient, elle pleurait comme une madeleine sortant d'une tasse de thé.

— J'ai été méchante avec lui, arrogante, tyrannique, balbutiait-elle entre deux hoquets. Je passais mon temps à l'humilier, je lui disais qu'il n'était qu'un pauvre naïf, qu'il n'avait pas de cœur, qu'il ne comprenait rien, alors qu'en réalité il était bon, affectueux, intelligent...

Zacharie l'embrassa : pour sangloter

ainsi, elle devait vraiment souffrir.

– Ça t'a fait beaucoup de bien de vivre avec Atome-Pouce, ça t'a mûrie. Mais ne te tourmente pas, je suis sûr qu'il t'aime toujours. S'il ne revient pas, c'est qu'il lui est certainement arrivé quelque chose ; demain matin nous le chercherons partout et nous le trouverons.

Colombine, cependant, ne se calmait pas. Fantasio la regardait avec pitié :

« Que d'histoires pour ce machin ! S'il s'agissait d'un chat, je comprendrais, mais un vulgaire atome... Si moi je disparaissais, alors oui, c'est pour le coup que tu devrais verser toutes les larmes de ton corps. Mais sois tranquille, je ne te quitterai pas : même cuit, le mou ne manque pas dans cette maison... Quand même, il faut reconnaître qu'avec Atome-Pouce j'ai perdu ma ration de grattouilles sur la tête : il s'y connaissait drôlement... »

Cette nuit-là, Colombine l'emmena avec elle dans son lit. C'était la première fois que cela se produisait. Elle le serrait contre sa poitrine, le caressait et lui tenait de grands discours entrecoupés de sanglots.

211

– Tu sais, Atome-Pouce est parti... Je reste toute seule et je suis bien malheureuse... Il était si bon, si doux... Mais je ne me résigne pas, vois-tu, il faudra bien que je le retrouve, mon petit frère chéri... Si je le retrouve, alors là, je lui ferai passer l'envie de s'enfuir... Il va en entendre de belles, c'est moi qui te le dis... Et il va en ramasser, des gifles !... Ah ! tu t'es enfui ? Plaf !... Ah ! tu ne m'aimes plus ? Plaf !... Tiens, ça t'apprendra, plaf !... Mais qu'est-ce que je raconte ? Je lui demanderai pardon, je lui promettrai d'être toujours gentille... Je ne serai plus jamais sévère ni hargneuse, jamais plus, je le jure !...

Faisant semblant de l'écouter, Fantasio se prélassait sous les caresses et profitait au maximum de la douillette chaleur du lit.

« Espérons qu'elle ne le retrouvera pas, pensait-il, autrement adieu la vie de château ! Il n'y a pas de comparaison entre dormir ici et dormir sur mon vieux coussin rembourré avec des noyaux de pêche. »

Le lendemain matin, tous les camarades de Colombine firent l'école buissonnière pour l'aider à chercher Atome-Pouce. Ils cherchèrent partout, et les ouvriers de l'usine Propp se joignirent à eux dès qu'ils furent au courant. Même les Esquimaux, s'ils l'avaient su, seraient accourus pour participer aux recherches.

Mais tous eurent beau chercher, Atome-Pouce restait introuvable. Et pour cause...

Cependant, au Quartier général de Siméon, Von Baoum essayait une énième astuce pour le convaincre :

— Atome-Pouce, tu as un cœur, nous l'avons vu aux rayons X : par conséquent, tu ne peux pas ne pas aimer l'humanité. Et qu'est-ce qui concourt au progrès et au bien-être de l'humanité ? La science ! Donc tu dois aider la science. Et aider la science, c'est m'aider moi : ensemble nous pourrons...

— ... construire une bonne grosse bombe atomique ! s'écria Siméon dans un grand élan d'enthousiasme.

Comme on voit, il n'était pas très fort en psychologie. Mais, même s'il l'avait été, de toute façon la réponse d'Atome-Pouce aurait été identique, celle qu'il

répétait obstinément depuis deux jours :
— Non !

Le général Siméon brûla alors sa dernière cartouche, l'argument décisif :
— La patrie ! déclara-t-il solennellement en se mettant au garde-à-vous.

Il s'y mettait toujours quand il prononçait ce mot. Mais Atome-Pouce continua à le regarder avec indifférence : ce mot, chez Colombine et Zacharie, il ne l'avait jamais entendu.

— Tous, même les atomes, doivent éprouver un sacro-saint respect envers la mère patrie. La patrie (Siméon claqua des talons), c'est comme une maman : elle commande et on obéit ! Et qui, mieux qu'un général, peut parler en son nom ? La patrie (claquement de talons) a toujours besoin d'un grand chef, et un grand chef a besoin d'armes invincibles. En me donnant à moi des armes atomiques, tu les donnes à la patrie (clac !). Alors ?

— Alors non ! répondit Atome-Pouce, qui s'était déjà fait sa petite idée à lui de la patrie.

Pour lui, la patrie, c'étaient Colombine, Zacharie, les écoliers et les ouvriers qu'il avait connus, et aussi les

Esquimaux. Eux, ils ne demandaient pas de bombes atomiques.

— Tu es une chiffe molle, un minable atome défaitiste et antipatriotique ! brailla le général. Von Baoum, tu dois le faire obéir ! Je t'ordonne d'avoir sur-le-champ une idée géniale !

Et Von Baoum eut l'idée :

— Atome-Pouce, dit-il, tu es trop bon. Les bons sont des faibles, des femmelettes sans caractère et sans volonté. Dans la vie, au contraire, il faut être énergique et résolu. Le monde appartient aux forts. Un atome digne de ce nom doit être viril, impitoyable. Sois perfide, violent, n'aie pas peur d'abuser de ta force !

— Vraiment ? demanda Atome-Pouce, intéressé.

— Il commence à mordre à l'hameçon, murmura Von Baoum à l'oreille de Siméon. Mais bien sûr, Atome-Pouce, mon gaillard, sacré vieux briscard, ne te retiens pas, donne libre cours à ta volonté de puissance, à ton instinct de violence, vas-y !

— Bon, alors tiens !...

De sa jambe libre, Atome-Pouce lui décocha un grand coup de pied dans le tibia.

— Aïe ! Aïe aïe aïe ! hurla Von Baoum en sautillant sur un seul pied comme une grue. Ce n'était pas une idée géniale...

— En fait si, c'en était une, dit le général. Il commence à devenir méchant. Passons tout de suite aux expérimentations pratiques. Et d'abord la plus simple : le missile.

Ils emmenèrent Atome-Pouce au polygone de tirs spatiaux et l'attachèrent à un missile. Von Baoum avait essayé d'en inventer divers types fonctionnant au méthane, au charbon de bois, mais tous s'étaient avérés quelque peu défectueux : à peine lancés ils retombaient au sol comme des poires cuites. Autour du polygone il y en avait un cimetière.

— En matière de missiles comme dans tous les domaines, Von Baoum est un âne, dit Siméon à Atome-Pouce. Mais toi, avec ton énergie, tu vas pouvoir facilement me faire voler cet engin. Essaie-le d'abord, après je t'expliquerai à quoi je le destine. Allez, fouette, cocher !

Pour Atome-Pouce ce fut en effet un jeu d'enfant et il démarra en trombe. Mais il ne le fit pas pour contenter Siméon. Il lui était soudain venu une idée et, quand il fut bien haut dans le ciel, il commença à y dessiner des arabesques avec le sillage de son missile, comme un pinceau écrivant sur du papier. En lettres énormes, il écrivit dans le ciel bleu au-dessus de la ville le nom qu'il avait dans le cœur :

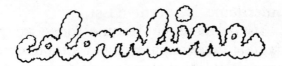

— Atome-Pouce, lui cria par radio le général Siméon, trêve d'enfantillages ! Sois sérieux et obéis aux ordres !
— Puisque tu y tiens, j'obéis, répondit Atome-Pouce.

Ah ! ils voulaient qu'il se montre méchant ? Eh bien soit, il allait les satisfaire. Il visa le polygone et descendit en piqué.
— Je vais vous apprendre ce que ça signifie de se voir arriver un missile sur la tête !

A vrai dire, il ne visa pas directement Siméon et Von Baoum, mais le missile toucha terre assez près d'eux et vola en éclats dans un fracas épouvantable. Les

deux hommes se relevèrent pleins d'écor-
chures et de bosses, noirs de fumée des
pieds à la tête, les vêtements en lam-
beaux. Naturellement, Atome-Pouce fut
à nouveau jeté en prison et enchaîné.

Ce nom écrit dans le ciel, Fantasio et
Colombine le virent aussi.

« Ce doit être Atome-Pouce, se dit
Fantasio qui, perché sur le toit, scrutait
le ciel. Au lieu de perdre son temps à des
idioties pareilles, il ferait mieux de
chercher où est allée se fourrer la lune :
qui sait pourquoi elle se cache toujours
pendant la journée ? »

Quant à Colombine :

– C'est lui, c'est Atome-Pouce ! s'écria-
t-elle. Papa, viens vite à la fenêtre : il a
écrit mon nom dans le ciel !

– En effet, c'est sûrement lui, approuva
Zacharie. Il te salue. Tu vois qu'il ne t'a
pas oubliée !

– C'est vrai. (Colombine était radieuse.)
Il me salue, il se souvient toujours de
moi.

Mais au bout d'un moment elle éclata
en sanglots :

– Ce n'est pas un salut, c'est un adieu !

Ça veut dire qu'il s'en va définitivement et ne reviendra plus !

Cependant, Atome-Pouce, dans sa cellule, pensait justement à elle et avait l'impression d'avoir écrit dans le ciel son testament, car il était désormais convaincu qu'il ne sortirait plus du Quartier général de Siméon.

Lequel Siméon répétait pour la centième fois à Von Baoum :
– Bougre d'âne !

Von Baoum, au garde-à-vous, s'évertuait à chercher une nouvelle idée géniale. Cet Atome-Pouce faisait son désespoir : il refusait l'argent, l'uranium, les honneurs, il n'obéissait pas aux ordres, il ne voulait pas être méchant. C'était vraiment un atome dévoyé, corrompu...

– Corrompu ?... La voilà, l'idée géniale ! s'exclama-t-il. Mon général, j'ai découvert le secret d'Atome-Pouce : quelqu'un doit l'avoir détourné du droit chemin. Il faut absolument que nous sachions qui c'est.

Il se précipita dans la cellule d'Atome-Pouce, qui était assis par terre, lugubre.
– Pauvre petit atome orphelin et soli-

taire ! dit Von Baoum avec une hypocrite douceur. Ça me fend le cœur de te voir si triste. Que puis-je faire pour toi ? Aimerais-tu revoir tes amis, les embrasser, leur parler ? Dis-moi leurs noms et je leur permettrai de te rendre visite.

– C'est vrai ? demanda Atome-Pouce.

– Bien sûr : dis-moi leurs noms, je les appelle tout de suite...

21. Les larmes amères
d'Atome-Pouce

– Police ! Que personne ne bouge ! Haut
les mains !

Une nuée de policiers fit irruption par
la porte, par les fenêtres, par la hotte de
la cheminée. En un clin d'œil la maison
de Zacharie en fut archipleine : emportés
par leur élan, ils se retrouvèrent entassés
les uns sur les autres, formant une
couche épaisse de deux mètres.

Émergeant du tas de jambes, de têtes
et de bras, le professeur se trouva nez à
nez avec un brigadier.

– C'est vous le professeur Zacharie,
l'ami du sieur Atome-Pouce ? Vous êtes
en état d'arrestation.

– Vous êtes fou ! cria Colombine, furieuse, en émergeant à son tour du tas de policiers.

– C'est toi Colombine, l'amie du sieur Atome-Pouce ? Tu es en état d'arrestation : toi aussi on t'a dénoncée.

Père et fille, menottes aux poignets, furent entraînés par les policiers.

Dans la maison déserte, il ne resta que Fantasio, indigné :

« C'est illégal ! Je proteste ! Les emmener ainsi... Qui va me donner à manger maintenant ? »

Zacharie et Colombine furent conduits au Quartier général de Siméon et poussés sans ménagement dans la cellule où se trouvaient déjà le général, Von Baoum et Atome-Pouce enchaîné au mur.

Dès qu'il les vit, celui-ci fit un bond pour se jeter à leur cou mais, ayant oublié la chaîne qui le retenait par la cheville, il tomba et se cogna la tête par terre.

Les visages de Zacharie et de Colombine lui apparurent nimbés d'un poétique halo de chandelles multicolores, mais ils étaient étrangement sérieux.

– Pourquoi me regardez-vous ainsi ? Je suis si heureux de vous revoir ! J'avais tellement envie qu'ils vous conduisent ici : vous savez, c'est vos noms que j'ai donnés les premiers !

Il tenait à leur faire savoir qu'il les considérait comme ses meilleurs amis, et pourtant, chose bizarre, ils ne semblaient pas du tout lui en être reconnaissants ; Colombine, en particulier, fixait sur lui des yeux féroces, plus jaunes que ceux de Fantasio quand on lui marchait sur la queue...

– Zacharie, déclara le général Siméon, Atome-Pouce a avoué : tu es un traître, un corrupteur d'atomes !

Pour Colombine, ce fut la preuve qu'Atome-Pouce était bien à l'origine de leur arrestation. Et cet hypocrite souriait, tout content de les voir en prison !

– Mouchard ! hurla-t-elle. C'est pour ça que tu t'es enfui de la maison, pour dénoncer papa ! (Elle fonça sur lui et lui donna une gifle.) Mouchard ! Sale mouchard !

— Emmenez-la ! ordonna Siméon. Je ne sais que faire d'elle, c'est Zacharie qui m'intéresse.

Aussitôt les policiers l'expulsèrent du Quartier général.

Atome-Pouce était abasourdi. Il avait tant attendu Colombine pour faire la paix avec elle et voilà qu'elle le giflait. Ça lui était égal que parmi tous ses amis il l'ait désignée la première avec Zacharie, avant ses camarades d'école, avant les ouvriers de l'usine, avant les baigneurs de la plage, avant les Esquimaux, et Fantasio, et Jonas... Le pauvre ingénu était loin d'imaginer qu'ils avaient tous été arrêtés, y compris les Esquimaux ; seuls Fantasio et Jonas y avaient échappé, pour la bonne raison qu'on n'avait pas trouvé d'interprètes capables de les interroger.

Mais un seul nom importait à Von Baoum : celui du professeur Zacharie, le savant qui n'avait jamais voulu entendre parler de bombes. C'est pourquoi tous les autres avaient été relâchés, et maintenant Atome-Pouce n'avait plus en face de lui que Zacharie.

– Professeur, je vous le jure, balbutia-t-il, je n'ai rien fait de mal.

– Exact, ce n'est pas sa faute, confirma Von Baoum. Atome-Pouce n'est que ta victime. C'est toi, Zacharie, qui l'as corrompu, qui l'as détourné de sa mission naturelle.

– Tu leur as dit cela ? s'exclama Zacharie, et, pour la première fois, Atome-Pouce vit son visage empreint d'une expression terriblement sévère. Eh bien, c'est du joli : te voilà devenu un grand menteur !

– C'est faux, j'ai toujours dit la vérité et suivi vos recommandations ! Je...

Mais il ne put s'expliquer car Zacharie fut entraîné dans un souterrain où le général et Von Baoum continuèrent à l'interroger :

– Avoue ton crime : tu as dévoyé Atome-Pouce. Seul un savant atomiste pouvait y parvenir. Tu l'as détourné de sa mission naturelle d'atome guerrier, pour en faire une chiffe molle, un minable atome pacifiste...

L'expression sévère de Zacharie fondit comme neige au soleil : il venait de comprendre.

– Alors il est innocent !

Zacharie bondit sur ses pieds et courut à la porte. Naturellement elle était fermée à double tour et c'est en vain qu'il secouait la grille en criant :

– Atome-Pouce, pardonne-moi, je t'ai soupçonné à tort ! Tu verras, Colombine aussi, quand elle saura la vérité, sera fière de toi !

Hélas, Atome-Pouce ne pouvait l'entendre : accroupi dans un coin de sa cellule, au dernier étage du Quartier général, bien loin du souterrain où se trouvait le professeur, il ruminait d'amères pensées. Il n'y comprenait plus rien : il avait résisté héroïquement aux menaces et aux flatteries de Siméon et de Von Baoum, et pourtant Colombine l'avait giflé et Zacharie l'avait traité de menteur. Décidément, il était l'atome le plus malheureux du monde, seul comme un naufragé sur une île déserte, abandonné de tous, y compris de ses amis les plus chers...

Une voix tonitruante le fit sursauter : elle montait de la rue, étrangement métallique :

– Atome-Pouce, tu m'entends ? Atome-Pouce ! Atome-Pouce !...

C'était la voix de Colombine, amplifiée par un haut-parleur. Elle était revenue ! Quelle joie ! Elle s'était certainement aperçue de son erreur, elle venait s'excuser, le consoler, lui dire qu'il était un héros...

– Atome-Pouce, tu es un traître ! cria Colombine dans le micro du haut-parleur. Tu es un mouchard, un vendu ! Tu jouais les ingénus et en fait tu n'étais qu'un espion ! Tu m'emmenais au pôle Nord et tu ne pensais qu'à trahir papa ! Tu me dégoûtes ! J'ai détruit toutes tes affaires à la maison, et j'ai jeté ton lit par la fenêtre ! Tu n'es plus mon petit frère, je te renie ! Rends-moi même le nom que je t'ai donné : gare à toi si tu oses encore te faire appeler Atome-Pouce !...

C'est en vain que le pauvre Atome-Pouce essaya de se boucher les oreilles : les cris de Colombine le pénétraient jusqu'au cœur comme des coups de poignard. Il tenta désespérément de briser sa chaîne mais elle ne céda pas. Il retomba prostré dans le coin de sa cellule.

Cependant Fantasio, qui depuis la maison avait suivi Colombine en miaulant parce qu'elle ne lui avait pas donné sa ration de mou, se faufila entre les barreaux et pénétra dans le Quartier général. Flairant l'odeur d'Atome-Pouce, reconnaissable entre toutes, il monta les escaliers et arriva au dernier étage où Siméon et Von Baoum étaient en train d'observer le prisonnier à travers le judas.

– Cette fille va le rendre fou, dit le général. Il vaut mieux la chasser.

Mais pour la première fois de sa vie Von Baoum eut vraiment une idée valable : elle lui était venue en regardant les yeux d'Atome-Pouce. Il la susurra au général qui, lui aussi pour la première fois, lui dit « bravo » au lieu de le traiter de « bougre d'âne ».

Colombine put ainsi continuer à crier ses insultes :

– Tu es un voyou, un truand, un danger public ! Aucune personne honnête ne consentira plus à te regarder en face, même pas Jonas !

Sans qu'Atome-Pouce s'en aperçoive, au coin de ses yeux avaient perlé deux

larmes qui dégageaient une étrange vapeur phosphorescente.

Von Baoum saisit une bassine et se précipita dans la cellule :

— Tu entends, Atome-Pouce ? Elle te hait. Zacharie aussi. Ils te détestent tous. Pleure, mon enfant, ça te fera du bien.

Les deux larmes coulèrent le long du visage d'Atome-Pouce et tombèrent dans la bassine en grésillant comme de l'acide.

— Pleure, pleure, ne te retiens pas, l'encouragea Von Baoum.

Désormais Atome-Pouce pleurait comme une fontaine dans la bassine fumante.

Sur le pas de la porte, Fantasio, terrorisé, fit le gros dos comme s'il avait flairé la présence d'un redoutable bouledogue. Ces larmes phosphorescentes avaient une odeur effrayante : de douleur, de deuil, de mort, comme si elles contenaient toutes les souffrances du monde.

— Miaou ! cria-t-il pour le faire cesser de pleurer, mais Atome-Pouce, fou de chagrin, n'entendait que la voix de Colombine.

– Miaou ! hurla-t-il encore, et c'était le miaulement désespéré de quelqu'un qui sent la menace d'une catastrophe universelle peser aussi sur la race féline tout entière...

– Victoire ! exulta Von Baoum en soulevant précautionneusement la bassine fumante, pleine à ras bord des larmes d'Atome-Pouce. Mon général, j'ai réussi !

22. En route pour le Soleil

A pas mesurés, tenant la bassine comme le saint sacrement, Von Baoum transporta son précieux butin au dépôt d'armes, suivi du général qui marchait lui aussi sur la pointe des pieds. A l'aide d'un entonnoir, il versa le liquide dans une énorme bombe puis s'inclina solennellement devant Siméon.

– Mission accomplie, mon général : la bombe la plus puissante du monde est à votre entière disposition.

Le cœur du général se mit à battre très fort : il ne faisait plus toc-toc-toc, mais un martial boum-boum-boum. Le rêve de toute sa vie se réalisait enfin : il l'avait, sa superbombe. Unique, inégalable, elle lui semblait plus belle que la plus fascinante actrice du monde. Il en tomba aussitôt amoureux.

Il l'étreignit tendrement, la couvrit de baisers.

– Ma petite bombe chérie, je t'adore !

Fou de joie, il se mit à exécuter autour d'elle une danse de Sioux, s'interrompant tantôt pour l'embrasser, tantôt pour embrasser Von Baoum.

– Tu es un génie, Von Baoum !... C'est la plus belle bombe de la Création !... Quelle ligne, quel galbe, quel charme !... Il ne lui manque que la parole !... Mais elle va l'avoir bientôt, je te le garantis...

Von Baoum fit venir Zacharie et Colombine, qui entre-temps avait été capturée par les soldats du général.

– J'ai fait une grande découverte, leur dit-il fièrement. C'est de la souffrance des atomes qu'on obtient les bombes. Cette découverte, je l'ai faite grâce à vous : merci !

Au même moment, un cri déchirant fit trembler les murs du Quartier général :

233

– Rendez-moi mes larmes !

C'était Atome-Pouce. Tout de suite après le départ de Von Baoum et de Siméon, Fantasio s'était précipité sur lui pour lui mordre et lui griffer les jambes. Le comportement d'Atome-Pouce avait même réveillé la conscience d'un chat opportuniste comme lui.

« J'ai tout supporté, miaulait-il furieusement, depuis le mou cuit jusqu'à la trahison des vacances, mais cette fois c'en est trop, c'est un crime contre la chatinité tout entière ! »

Atome-Pouce retrouva ses esprits et s'aperçut qu'il avait les yeux encore humides : on lui avait volé ses larmes ! La rage centupla ses forces. Dans un effort suprême il brisa sa chaîne.

« Bravo ! miaula Fantasio. Rebelle-toi, sauve la chatinité ! Ne t'en fais pas, je vais t'aider ! Suis-moi... »

Atome-Pouce se jeta contre la porte et l'enfonça d'un coup de tête.

– Rendez-moi mes larmes ! cria-t-il.

Guidé par le flair de Fantasio, il fonça vers le dépôt d'armes. Aussitôt, dans tous les coins du Quartier général rententirent les sonneries d'alarme et une multitude de soldats accoururent pour lui barrer la route. Atome-Pouce emporta comme une avalanche ce premier barrage mais en trouva un autre en face de lui. D'une décharge électrique il les envoya tous les quatre fers en l'air. Au troisième il n'eut pas besoin d'agir : il lui suffit de regarder les soldats qui s'évanouirent tous de peur.

Le chemin était libre. D'un coup de poing il abattit la porte du dépôt d'armes et vit le général Siméon enlaçant sa bombe, tandis que Von Baoum tremblait, recroquevillé dans un coin.
– Atome-Pouce, mon petit frère ! s'exclama Colombine qui maintenant, bien sûr, avait tout compris.
De l'île déserte de son désespoir, Atome-Pouce retomba dans la chaleur douillette du nid familial.
– Siméon, dit-il, rends-moi mes larmes !
– La bombe, non ! (Siméon l'étreignait convulsivement.) Je ne te la donne pas, elle est à moi !
– Ne t'obstine pas, menaça Atome-Pouce, ou je perds patience !
Mais au premier pas qu'il fit en direc-

tion du général il sentit le sol manquer sous ses pieds. Von Baoum, avec une rapidité foudroyante, avait actionné un levier et une trappe s'était ouverte. Dégringolant dans un trou noir, Atome-Pouce entendit Colombine et Zacharie l'appeler, Fantasio miauler, puis plus rien. Il tomba sur quelque chose de mobile, une sorte de tapis roulant qui l'entraîna rapidement à travers un étroit conduit pour le projeter dans une espèce de bizarre cellule dont la porte se referma derrière lui. Il tâta tout autour : il se trouvait entre des parois d'acier.

Par la fenêtre du dépôt d'armes, cependant, Von Baoum montrait au général Siméon un missile sur une rampe de lancement. Un conduit menait jusqu'à la portière de l'habitacle.

– Il est là-dedans, annonça triomphalement Von Baoum. Mon général, savez-vous où va aller ce missile ? Il va aller se rôtir au Soleil ! Nous serons débarrassés une fois pour toutes d'Atome-Pouce et personne d'autre que nous ne pourra utiliser ses larmes.

Zacharie et sa fille pâlirent : ils envoyaient Atome-Pouce se désintégrer dans les flammes du Soleil !

— Assassins d'atomes innocents ! hurla Colombine en se précipitant vers les deux hommes.

Mais déjà le missile bondissait dans le ciel et disparaissait entre les nuages. Adieu Atome-Pouce, il quittait ce monde, il était condamné à mort.

— Bravo, Von Baoum ! dit Siméon. Décidément, tu es beaucoup plus fort que je ne croyais : j'avais sous-estimé tes capacités. Maintenant qu'Atome-Pouce n'est plus, je suis le seul à posséder la superbombe !

Et, gonflant la poitrine, il cria :

— Rassemblement ! Nous partons immédiatement à la conquête du monde !

D'un bond, Fantasio franchit la porte, dévala l'escalier et s'éloigna ventre à terre du Quartier général.

« Chats de tous les pays, unissez-vous dans la fuite ! miaulait-il désespérément en cherchant un refuge. Ça sent la guerre atomique à plein nez ! Sauve qui peut ! »

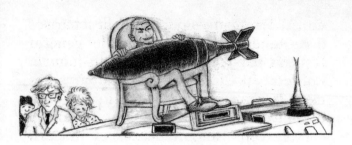

23. Le général Siméon
à la conquête du monde

Siméon fit placer la bombe sur un char et s'installa à côté dans un fauteuil doré, comme un souverain à côté de la reine. Derrière le char étaient attachés, menottes aux poignets, Zacharie et Colombine, et derrière eux toute l'armée était rangée en ordre de marche.

Le général consultait anxieusement sa montre :

– Encore quelques secondes... Quatre, trois, deux, un, zéro !... Youpi ! En cet instant même Atome-Pouce arrive sur le Soleil ! Il n'existe plus ! Désormais personne ne pourra être plus atomique que moi ! Trompettes, sonnez la charge !

A la tête de son armée, le général Siméon partit à la conquête du monde.

– Papa, dit Colombine en titubant derrière le char, c'est vrai qu'Atome-Pouce n'existe plus ?

– Hélas oui : maintenant il a disparu dans le Soleil.

– Merde alors ! hoqueta Colombine en sanglotant de douleur et de rage.

Pour la première fois, son père ne la gronda pas ; lui aussi il avait les larmes aux yeux :

– Tu as raison, Colombine : merde et merde et remerde !

L'armée avançait, laissant derrière elle un sillage de peur et de désespoir : à son passage, toutes les fenêtres se fermaient, les gens couraient se terrer dans les caves.

Le Soleil se couchait. Il disparut à l'horizon et Colombine se remit à pleurer : il avait emporté avec lui Atome-Pouce, pour toujours.

Le ciel s'obscurcissait et l'armée continuait à marcher en silence. Les soldats eux aussi avaient peur, mais ils étaient bien obligés de suivre le général.

Les premières étoiles brillèrent, tristes comme des larmes : tout l'univers semblait pleurer pour ce qui se passait sur la Terre.

Tout à coup, cependant, jaillit une joyeuse étincelle : une étoile filante traversait le ciel.

Colombine fit aussitôt un vœu : « Qu'Atome-Pouce me revienne sain et sauf ! »

Siméon, lui, pensa : « Que je devienne le maître du monde ! »

L'étoile filante s'éteignit : ciel et Terre furent à nouveau livrés à la mélancolie de la clarté lunaire.

L'armée continuait à avancer.

A l'horizon apparut un nuage de poussière : quelque chose, peut-être une auto, arrivait à toute vitesse.

– Ah ah ! jubila Siméon, ce sont sûrement les premiers chefs de gouvernement qui viennent se soumettre.

Le nuage de poussière approchait rapidement, on commençait à le distinguer mieux : ça ne semblait pas être une auto. Mais ce n'était pas non plus une personne : aucun coureur au monde, fût-il exceptionnel, ne pouvait filer à cette allure.

— Papa, dit Colombine, seul Atome-Pouce est capable de courir ainsi...

— Ne te monte pas la tête, ma fille, tu sais bien qu'il n'existe plus.

— J'ai peut-être la berlue, et pourtant... Regarde, papa, on dirait vraiment que c'est lui.

— Ne dis pas de bêtises, Colombine : Atome-Pouce est mort.

— Mais regarde bien, papa, il est tout proche... Je t'assure que...

Le nuage de poussière s'arrêta brusquement devant le char du général, on en vit émerger un personnage...

— C'est Atome-Pouce ! cria Colombine. Atome-Pouce vivant !

Sur son char, Siméon tremblait :

— Qui es-tu ? balbutia-t-il.

Von Baoum accourut :

— Ce ne peut être lui : Atome-Pouce est mort, désintégré dans le Soleil. Ce n'est que son fantôme !

24. Aventures spatiales

Était-il vivant ou était-ce son fantôme ? Pour le savoir, revenons au moment où Atome-Pouce se cogna la tête contre la paroi métallique d'une cabine obscure. Il n'avait pas la moindre idée de l'endroit où il se trouvait et tâtonna à la recherche d'un interrupteur : il n'y en avait pas. Il appela mais personne ne répondit.

« Bizarre, ils ont tous disparu. J'ai l'impression d'être resté seul. »

Il n'imaginait pas à quel point il l'était : il voyageait dans le cosmos...

Les parois chauffaient, la température augmentait sans cesse.

« Il faut que j'ouvre les fenêtres »,
pensa-t-il. Mais il eut beau tâter partout,
il ne parvint pas à en trouver.

« Ils ont oublié d'en faire. Bon, je vais
en faire une moi-même. »

Il lui suffit d'un coup de poing pour
défoncer la paroi : par l'ouverture dé-
ferla un torrent de lumière.

Ce qu'il vit quand il sortit la tête lui
coupa le souffle. En face de lui, énorme,
le Soleil approchait à vue d'œil. Il
regarda à l'opposé et vit une boule
minuscule : la Terre.

Les commandes du missile avaient été
bloquées par Von Baoum : impossible
d'arrêter sa course ou de le faire changer
de route.

— Reviens en arrière ! cria Atome-Pouce
en donnant des coups de pied rageurs
contre le tableau de bord. J'habite là-bas,
moi, sur cette petite boule ! Reviens en
arrière, te dis-je !...

Il retomba prostré sur le sol de la
cabine : « Maintenant je comprends : ils
m'ont embarqué sur un missile sans
billet de retour. Je suis condamné à
mort ! »

La chaleur devenait de plus en plus insupportable. A travers l'espace parsemé d'étoiles et de planètes, le missile continuait implacablement sa course vers son but. Désormais proche, le Soleil crépitait, grondait, secoué par de continuelles explosions atomiques, crachant des flammes qui s'avançaient comme des tentacules pour saisir ce moucheron.

Désespéré, Atome-Pouce mit à nouveau le nez à la « fenêtre » et ressentit une forte douleur. Il se palpa la tête et s'aperçut qu'il avait une grosse bosse. Qui lui avait donné un coup de poing ? Il comprit qu'il avait été heurté par une météorite quand il en vit une autre passer à côté de lui en sifflant.

Maintenant il était sûr qu'il allait mourir : encore quelques minutes et il serait happé par la fournaise du Soleil. Quelle mort affreuse, sans même une tombe sur laquelle Colombine aurait pu déposer des fleurs...

Il se baissa juste à temps pour éviter une troisième météorite.

– Voulez-vous me laisser en paix ! Respectez les moribonds !

Au fait, une météorite... Tiens, pourquoi pas, après tout, c'était une bonne idée...

Les flammes du Soleil commençaient à le lécher.

Oui, une météorite ! Il n'y avait pas de temps à perdre !...

Il sortit de la cabine, grimpa sur le missile et s'y accroupit dans la position du gardien de but angoissé qui va essayer de parer un penalty.

En voici une qui arrive, plus rapide qu'un boulet de canon. C'est l'unique espoir de s'éloigner du Soleil.

Il plonge, les mains en avant...

Le meilleur goal du monde n'aurait pas été capable d'arrêter un tir pareil, mais lui il réussit. Il s'agrippa au bolide, qui l'entraîna. Assis dessus, il vit le missile disparaître dans le magma solaire, désintégré.

Il était sauvé...

... Il regarda autour de lui, cherchant des yeux la Terre : elle était très, très loin, et lui, à califourchon sur la météorite, il filait en sens opposé ! Bien loin d'être sauvé, il était condamné à une fin encore pire, à se perdre dans l'Univers, parmi des milliards d'étoiles !

– Idiote ! cria-t-il. Ce n'est pas ma direction ! Change de cap, retourne en arrière !

Mais la météorite poursuivait son chemin, aveugle et sourde, sans volant ni guidon pour la diriger, et rien n'aurait pu la faire dévier.

Il y en avait beaucoup qui sillonnaient l'espace en tous sens : toutes fonçaient droit devant elles comme des buffles chargeant tête baissée. Parfois elles passaient tout près de celle d'Atome-Pouce.

« Et si je changeais de météorite ? pensa-t-il. Je pourrais en prendre une qui va dans la bonne direction. De toute façon, dans le cosmos on voyage gratis, sans billet. Bien, attention aux correspondances. »

Il en vit une qui se dirigeait vers le système solaire et était sur le point de croiser la sienne.

Il prit son élan et bondit dessus. La Terre fut bientôt en vue : toutefois sa taille ne dépassait pas celle d'une balle de tennis et il s'aperçut que son nouveau véhicule n'allait pas vers la Terre mais vers une drôle de planète entourée d'un anneau.

« Ce n'est pas encore la bonne, elle fait la ligne qui dessert Saturne. Il faut encore changer. »

La suivante le rapprocha beaucoup de la Terre (qui ressemblait maintenant à un ballon de football), mais elle avait son terminus sur la Lune.

Finalement il en vit une qui visait vraiment la Terre. Il s'y transféra avec le soupir de soulagement de quelqu'un qui a réussi à trouver un taxi pour le ramener chez lui. Désormais la Terre avait la taille de la coupole de Saint-Pierre et continuait à grossir à vue d'œil, à tel point qu'on distinguait déjà les continents.

Mais la météorite commença soudain à chauffer : bizarre, pourtant on s'éloignait de plus en plus du Soleil.

« Décidément, ces transports spatiaux laissent beaucoup à désirer ! » pensa Atome-Pouce. Il avait envie de se plaindre en haut lieu, mais il ne savait pas à qui.

La météorite devenait brûlante ; et pour cause : le frottement de l'entrée dans l'atmosphère terrestre était carrément en train de l'enflammer !

– Qu'est-ce que c'est que cette plaisanterie ? Au secours, mon taxi prend feu !

En outre, en brûlant, la météorite se consumait et devenait de plus en plus petite : alors qu'auparavant il y était confortablement installé à califourchon, maintenant il avait toutes les peines du monde à s'y cramponner, il devait faire l'équilibriste et, quand sa taille se fut encore réduite, il s'y retrouva agrippé comme à un parachute, si ce n'est que ce parachute-là ne freinait nullement sa chute vertigineuse...

La météorite finissait de brûler, laissant derrière elle un sillage lumineux. C'est précisément ce sillage lumineux, appelé communément « étoile filante », que Colombine et Siméon virent dans le ciel.

Siméon pensa : « Que je devienne le maître du monde ! »

Et Colombine pensa : « Qu'Atome-Pouce me revienne sain et sauf ! » Elle

était loin d'imaginer qu'il lui revenait bien, son Atome-Pouce, et justement avec cette étoile filante, mais à une vitesse folle, en chute libre, la tête la première !...

Le choc fut si violent qu'Atome-Pouce se retrouva sous terre, enfoui à des kilomètres de profondeur. Sans perdre son sang-froid, il commença à gratter frénétiquement avec ses mains pour remonter à la surface.

Il buta contre un squelette de dinosaure, déboucha dans une caverne préhistorique d'hominidés, puis dans une tombe étrusque, puis dans les ruines d'un théâtre romain ; mais il se souciait fort peu des extraordinaires découvertes archéologiques qu'il était en train de faire : il ne pensait qu'au général Siméon à qui il allait donner une bonne leçon, et il continuait son ascension, grattant la terre, grattant, grattant toujours.

Il fit surface entre les rails d'une voie ferrée. Un rapide arrivait à toute allure.
– Trop tard, cria le conducteur affolé, je n'ai plus le temps de freiner !

Mais il n'y en avait pas besoin : Atome-Pouce courait si vite entre les rails qu'aucun train au monde, même à réaction, n'aurait pu le rejoindre.

Sur sa lancée, il traversa campagnes et villes, laissant derrière lui un sillage de poussière.

C'est ce sillage que virent Siméon, Zacharie et Colombine : quand finalement il émergea de la poussière, il se planta devant le char, la main levée comme un agent de police qui arrête une voiture, et cria à Siméon :

– Halte !

25. Un général en caleçon n'est plus un général

– Halte ! cria-t-il.

Et, dès qu'il se fut aperçu que Colombine et Zacharie étaient enchaînés, il courut briser leurs chaînes.

– Atome-Pouce, mon sauveur ! dit Colombine, reprenant à son compte la typique réplique des héroïnes de roman en pareille occasion, et, comme elles, elle lui donna un baiser.

Atome-Pouce rougit, balbutia et se mit à danser de joie. Mais Siméon le rappela à la réalité :

– Si tu n'es pas un fantôme, hurla-t-il, tu vas le devenir !... Soldats, en joue, feu !

Les soldats ne bougèrent pas.

— Je vous dégrade, je vous encachotte, je vous entaule, je vous violonise ! glapit Siméon. J'ai donné un ordre, obéissez ! En joue, feu !

Personne ne tira. Siméon se demanda s'il ne devenait pas fou : c'était le monde à l'envers, les soldats n'obéissaient plus à un général !

— Ne vous énervez pas, lui dit Atome-Pouce. Je vais les convaincre, moi... Allez, les gars, obéissez, faites plaisir à votre général.

— Mais nous ne te voulons aucun mal ! protesta un soldat.

— Nous ne voulons de mal à personne !
ajouta un autre. Nous en avons assez de
marcher à la conquête du monde.

— D'ailleurs, moi, j'ai mal aux pieds à
force de marcher...

— Je vous en prie, insista Atome-Pouce,
pour me faire plaisir à moi. Allez,
courage, un bon mouvement, contentez
votre général une dernière fois...

Les soldats se résignèrent à tirer, mais
les balles rebondirent sur son corps
comme des balles de ping-pong : un
boulet de canon ne l'aurait même pas
égratigné. Si Atome-Pouce avait tant
insisté, c'était uniquement pour montrer
à Colombine qu'il était invulnérable.

Et en effet, Colombine s'exclama,
pleine d'admiration :

— Chapeau, le mec ! Merde alors !

— Cesse d'employer cette expression vulgaire ! réagit Zacharie.

Maintenant qu'Atome-Pouce était revenu sain et sauf, l'espoir et la confiance
dans la vie étaient aussi revenus, et avec
eux le sens des convenances.

— Atome-Pouce, il est temps de penser

aux choses sérieuses : n'oublie pas que cette bombe est remplie de tes larmes.
– Je m'en occupe tout de suite ! répondit Atome-Pouce.

Et, se tournant vers Siméon qui écumait de rage, debout sur son char, il dit :
– Bon, maintenant, fini de faire joujou à la guéguerre : donne-moi cette bombe !
– Jamais ! rugit le général.

S'étant assuré que cette fois il n'y avait pas de trappe sous ses pieds, Atome-Pouce fit un pas en avant et répéta :
– Donne-moi cette bombe !
– Pas question, elle est à moi, et tant que je l'aurai, c'est moi qui serai le plus fort ! Si les balles des fusils ne réussissent qu'à te faire des chatouilles, par contre tu ne résisteras pas à ma bombe. Je vais t'anéantir, te réduire en poussière, et, avec ou sans ton fantôme, le monde m'appartiendra !

Et, ce disant, il empoigna le levier qui actionnait la bombe.
– Non, mon général ! Non, mon général ! s'exclama Von Baoum. Si la bombe éclate, nous y passons tous !
– Il est fou ! cria Zacharie. Il va nous faire tous sauter !

Les soldats se jetèrent à plat ventre et se bouchèrent les oreilles.

Seul Atome-Pouce restait calme. Il leva la main et, joignant le pouce et l'index, d'une chiquenaude il envoya une décharge électrique en direction du général. Frappé de plein fouet, Siméon vola en l'air. Quand il retomba, il était méconnaissable : son uniforme était complètement brûlé et il était en caleçon.

Les soldats éclatèrent de rire : un homme en caleçon est toujours comique, alors, figurez-vous un général... Mais Siméon était-il encore un général ? A moitié nu, les poils roussis, le visage mâchuré, les yeux hagards, il trépignait comme un petit enfant qui fait un caprice.

– Je veux ma bombe ! pleurnichait-il. Vilains, méchants, rendez-la-moi ! Si vous ne me la rendez pas je vais le dire à ma maman !...

Tous le regardaient, abasourdis.

Les gens, qui de terreur s'étaient calfeutrés dans leurs maisons, revenaient s'accouder aux fenêtres et se tordaient de rire.

— C'est un cas de folie atomique, expliqua Zacharie. Une maladie qui s'attaque aux généraux.

— Atome-Pouce, proposa Siméon d'une voix doucereuse, on fait un échange ? Je te donne trois billes et tu me laisses la bombe... Ce n'est pas assez ? Je te donne une fronde et en plus dix belles images... Atome-Pouce, toi écouter moi : moi Œil-de-Lynx, moi être sur sentier de la guerre...

Zacharie, charitablement, entra dans le jeu :

— D'accord, moi t'aider. Moi faire venir tout de suite Blouse-Blanche et Ambulance-Rouge, deux grands chefs sioux, eux t'accompagner sur sentier de la guerre...

Il téléphona à l'hôpital psychiatrique et peu après arriva une ambulance avec deux infirmiers.

— Tiens, dirent-ils avec douceur à Siméon, voilà une arme pour faire la guerre, et ils lui donnèrent un fusil à bouchon. Tu es content ?

Ils l'embarquèrent dans l'ambulance et l'emmenèrent. Les gens descendirent dans la rue et firent fête à Atome-Pouce.

Les soldats lui serrèrent la main et rentrèrent chez eux. Zacharie grimpa sur le char :

– Montez, les enfants, dit-il à Atome-Pouce et à Colombine. Nous partons pour l'Académie des sciences.

Le char traversa la ville à vive allure. Mais désormais la bombe ne faisait plus peur à personne : dans les mains de Zacharie, elle était aussi inoffensive qu'un œuf de Pâques.

Pendant ce temps, Fantasio était toujours tapi au fin fond d'une cave obscure, la tête entre les pattes. Il attendait la terrible explosion, la fin du monde, l'extermination de la chatinité.

« Après ça les hommes prétendront que nous, les animaux, nous sommes féroces ! gémissait-il. Et eux, alors ? Si encore ils se contentaient de s'entretuer ! Mais non, ils tiennent à nous mettre nous aussi dans le bain !... J'étais beau, jeune, de pure race à 99 pour 100 — enfin, presque — et voilà que je dois mourir... Quelle horrible injustice !... Quand même, c'est bizarre, cette bombe n'a pas encore éclaté... J'ai peut-être le temps de faire mon testament... Que se passe-t-il ? Ou plutôt que ne se passe-t-il pas ? Pourquoi n'entend-on rien encore ?... Et si j'allais donner un coup d'œil ? Qui sait, je rencontrerais peut-être une souris en chemin : après tout, un chat condamné à mort a lui aussi le droit d'exprimer un dernier souhait... »

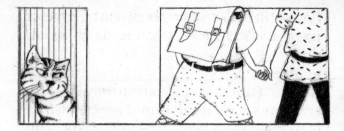

26. Tout est bien qui finit bien, sauf pour Fantasio

L'Académie des sciences avait été convoquée en assemblée extraordinaire, présidée par le professeur Sénior.

– Mes chers collègues, était-il en train de déclarer, je dois vous communiquer une terrible nouvelle : on a fabriqué une superbombe atomique, et maintenant elle se trouve entre les mains d'un général... L'heure est grave et...

Mais il n'eut pas le temps d'achever sa phrase : comme une diligence poursuivie par les Indiens, le char surmonté de sa superbombe fit une entrée fracassante dans la grande salle des congrès de l'Académie des sciences et vint s'arrêter juste en face de la tribune de la présidence...

Quand Zacharie leur eut expliqué la situation et qu'ils se furent remis de leur frayeur, les savants se levèrent et applaudirent longuement Atome-Pouce.
— Il n'a pas seulement le mérite de nous avoir tous sauvés, ajouta Zacharie. En plus il m'a aidé à élaborer un projet grandiose qui mettra l'énergie atomique à la disposition de tous nos concitoyens...
— J'espère que dans votre projet, intervint le jeune savant timide de l'équipe du professeur Sénior, vous avez prévu le chauffage des nids afin que l'hiver les oiseaux ne soient pas obligés d'émigrer, ainsi que des mini-fusées qui permettent aux enfants de ne pas arriver en retard à l'école...
— Je partage tout à fait l'idée de notre éminent collègue, approuva Colombine d'un ton docte. Mon père et moi-même l'acceptons bien volontiers.

Avec ces adjonctions, le projet fut adopté à l'unanimité et Zacharie se mit aussitôt à la tâche : il construisit une gigantesque pile atomique dans laquelle il versa les larmes de la bombe ; en outre, pour faire bonne mesure, Atome-Pouce s'y trempa au bain-marie pendant plusieurs heures, la rechargeant ainsi à bloc.

Dès que tout fut prêt, Zacharie fit une déclaration à la télévision :

– Mes chers concitoyens..., commença-t-il.

– Bravo ! crièrent Colombine et Atome-Pouce qui suivaient l'émission en direct sur leur écran de télévision.

– ... la construction d'une gigantesque pile atomique vient d'être achevée. Elle est à votre service et vous fournira à volonté lumière, chaleur, travail...

– Bravo ! crièrent Colombine et Atome-Pouce en applaudissant frénétiquement, et tous les habitants de la ville en firent autant dans leurs maisons.

– Venez quand vous voudrez, conclut Zacharie. Munissez-vous simplement d'un fil et d'une prise.

Une foule immense courut faire la queue devant la pile atomique. Ils y branchèrent leurs prises et obtinrent chez eux toute l'électricité dont ils avaient besoin, y compris pour le bronzage artificiel.

Le projet de Zacharie prévoyait tout : illumination à giorno de toutes les rues et places, des monuments, des stades, des parcs ; chauffage à gogo de toutes les maisons, des écoles, des crèches ; création de nouvelles usines où l'on travaillait sans faire tic-tac ; cures pour les malades, énergie pour faire marcher les navires, les trains, les avions, les autos et, naturellement, les mini-fusées proposées par le jeune savant timide.

La ville devint un paradis, comme le seraient toutes les villes du monde si les ministres et les généraux raisonnaient comme Zacharie et comme le professeur Sénior.

Atome-Pouce et Zacharie devinrent très célèbres. Tous les journaux parlaient d'eux. Ils publiaient même des photos de Colombine et de sa grand-mère : *La fille du fameux professeur Zacharie* ; *La belle-mère du grand savant*.

La grand-mère ne cessait d'accorder des interviews à la presse. Elle recevait journalistes et photographes dans son salon où, à côté de la photo de sa fille morte, trônait maintenant un portrait de Zacharie.

– Je l'ai deviné tout de suite que c'était un génie, expliquait-elle aux journalistes, c'est pourquoi j'ai été si heureuse quand il a épousé ma fille. C'est un homme admirable, un homme aux idées neuves, un homme de progrès : personnellement, c'est ce que j'apprécie le plus. Et quel père ! Si vous voyiez comment il a élevé sa fille : il en a fait une jeune fille moderne, émancipée, sans préjugés... Vous tenez à me photographier ? Bon, soit, mais alors ici, à côté de mon cher gendre.

Elle posait en regardant tendrement la photo de Zacharie.

– Je suis tellement fière de lui !

Tous les dimanches elle allait déjeuner chez le professeur. Elle arrivait vêtue à la dernière mode et n'oubliait jamais d'apporter un petit cadeau pour Atome-Pouce.

– Tu sais, Colombine, j'ai changé tous mes meubles : j'en avais assez de ces vieilleries... Au fait, ma chérie, tu devrais changer de coiffure et t'habiller plus court : il faut être dans le vent, que diable !

Colombine se retenait pour ne pas rire.

Naturellement la brave femme exigea qu'Atome-Pouce l'appelle lui aussi grand-mère.
— Mon cher petit, lui disait-elle, dès que je t'ai connu tu m'as été sympathique, je me suis tout de suite senti des atomes crochus avec toi... Vraiment, je ne pouvais rêver mieux comme petit frère pour Colombine... A propos, mes enfants, où comptez-vous passer vos vacances l'été prochain ? Toujours au pôle Nord ? Pourquoi ne pas aller au pôle Sud cette fois, histoire de changer un peu ?

Atome-Pouce, quant à lui, ne changea pas du tout et ne se monta pas la tête. La seule chose dont il se vanta auprès de Colombine fut d'avoir un cœur lui aussi.

De nombreuses universités et centrales atomiques lui firent des propositions mirobolantes, on lui offrit des millions de dollars pour qu'il se transfère en Amérique. Mais il refusa : il se trouvait très bien avec Zacharie et Colombine.

– Alors tu nous aimes vraiment, commenta Colombine. Pas de doute, tu as un cœur, merde alors !

– Pour la dernière fois, ordonna sévèrement Zacharie, je t'interdis d'employer cette expression vulgaire !

– Tu as raison, papa, je ne l'emploierai plus, je le jure. Tu verras que je suis parfaitement capable de tenir parole, merde alors !

... Et Fantasio ?

Quand Zacharie, Colombine et Atome-Pouce étaient rentrés de l'Académie des sciences, ils l'avaient trouvé à la maison. Sorti de sa cave, il avait erré en vain à la recherche de souris puis, s'apercevant que le danger de destruction du monde et de la noble race féline était conjuré, il était revenu se consoler avec son mou quotidien.

Mais il ne décolérait pas et ronchonnait à longueur de journée :

« On ne vit pas que de mou sur cette terre, mais aussi de satisfactions personnelles. D'accord, comme employé du professeur Zacharie, je suis le chat le plus photographié du monde ; tous mes collègues du voisinage me donnent du "professeur Fantasio" gros comme le bras ; Atome-Pouce, quand je me frotte à ses jambes, me caresse et fait ça très bien... N'empêche que je me sens frustré : pas moyen de mettre la patte sur une souris dans cette saleté de baraque ! Merde alors ! — comme ne cesse de dire Colombine en cachette de son père — j'ai vraiment la guigne : il faut toujours que je tombe dans des maisons où il n'y a pas l'ombre d'une souris ! Un de ces jours, je vais finir par mettre une annonce dans les journaux :

Chat en état de manque échangerait gros morceau de mou (cuit) contre rat vivant.

« ... Et puis, il faut bien le dire, personne ne me comprend dans cette maison. Ce pauvre nigaud de Zacharie pourrait devenir milliardaire, de quoi me payer même un voyage sur la Lune : eh bien non, pensez-vous, il continue à être obsédé par le bien-être de l'humanité, ce maniaque... Quant à Atome-Pouce, il est toujours fourré dans les jupes de Colombine : maintenant qu'il est célèbre, il a réussi à se faire admettre dans la même classe qu'elle. Croyez-vous qu'il m'emmènerait de temps en temps avec lui, surtout lorsqu'ils vont à la campagne, histoire de me permettre de donner la chasse à... Tiens, j'aime mieux ne pas y penser, ça me retourne le sang... La seule chose qui l'intéresse, c'est la compagnie de cette espèce de mijaurée. Bon, je veux bien admettre qu'elle est un peu moins grincheuse qu'avant, mais personnellement je trouve qu'elle fait encore beaucoup trop la pimbêche. Et cette andouille d'Atome-Pouce qui lui donne toujours raison : Colombine par-ci, Colombine par-là... Quand je pense que moi il ne me considère même pas comme un cousin au troisième degré... J'en ai vraiment ras le bol de lait : un de ces quatre matins je m'en vais ; je suis un chat libre, moi, rien ne me retient... Ah ! j'ai eu une fameuse idée le jour où je me suis mis à danser sur ces boutons colorés de la Centrale atomique ! Ça en a fait une histoire ! Et qu'est-ce que j'y ai gagné ?... D'ailleurs, les histoires qui soi-disant finissent bien, moi, ça ne me satisfait pas... Enfin, quoi, un peu d'imagination, merde alors !... »

Table des matières

l'Atelier du Père Castor présente

la collection Castor Poche

La collection Castor Poche vous propose :

● des textes écrits avec passion par des auteurs
du monde entier,
par des écrivains qui aiment la vie,
qui défendent et respectent les différences;

● des textes où la complicité et la connivence
entre l'auteur et vous se nouent et se
développent au fil des pages;

● des récits qui vous concernent parce qu'ils
mettent en scène des enfants et des adultes dans
leurs rapports avec le monde qui les entoure;

● des histoires sincères où, comme dans la réalité,
les moments dramatiques côtoient
les moments de joie;

● une variété de ton et de style où l'humour,
la gravité, la fantaisie, l'émotion, la poésie
se passent le relais;

● des illustrations soignées, dessinées par des
artistes d'aujourd'hui;

● des livres qui touchent les lecteurs à différents
âges et aussi les adultes.

Un texte au dos de chaque couverture vous présente les héros, leur âge, les thèmes abordés dans le récit. Vous pourrez ainsi choisir votre livre selon vos interrogations et vos curiosités du moment.

Au début de chaque ouvrage, l'auteur, le traducteur, l'illustrateur sont présentés. Ils vous invitent à communiquer, à correspondre avec eux.

CASTOR POCHE
Atelier du Père Castor
7, rue Corneille
75006 PARIS

97 ma renarde de minuit
par Betsy Byars
Tom, dix ans, n'a aucune envie de passer ses vacances dans la ferme de son oncle. Pourtant, une renarde noire, fascinante, va traverser un jour cet été où il ne se passait rien. L'attirance de Tom pour cette créature libre transforme alors ces quelques semaines en un grand jeu palpitant. Mais c'est un jeu plein de risques qui pourrait bien se terminer mal...

98 par une nuit noire
par Clayton Bess
Une panne d'électricité plonge la maison dans le noir : les enfants écoutent leur père se souvenir... Il y a trente ans, par une nuit sans lune comme celle-ci, alors que la brousse était plongée dans l'obscurité totale, une main inconnue était venue frapper à la porte de la case. Et le mal le plus effroyable avait fait irruption dans la vie de cette famille noire...

99 les chants du coquillage
par Jean-Marie Robillard
Neuf nouvelles qui se déroulent sur les rivages marins, et qui nous invitent à la découverte de sa faune, de ses paysages, de ses habitants. « Nanou », « le rat », « le congre », etc. relatent des épisodes de cette vie accrochée à la mer, parfois drôle, parfois dangereuse mais toujours émouvante pour celui qui apprend à l'écouter.

100 Claudine de Lyon
par Marie-Christine Helgerson
Claudine, onze ans, se penche pour lancer la navette de son métier à tisser... dix heures par jour, dans l'atelier de son père. Ceci se passe il y a cent ans, dans le quartier de la Croix Rousse à Lyon. Mais Claudine refuse cette existence. Ce qu'elle veut, c'est aller à l'école pour apprendre et choisir elle-même son métier. Comment arrivera-t-elle à convaincre ses parents ?

101 l'énigme du gouffre noir
par Colin Thiele
Les cavernes souterraines sont très nombreuses dans la région d'Australie où habitent Ket et sa famille. Ket connaît les dangers de ces puits remplis d'eau, véritables trous de la mort, et de ces labyrinthes de tunnels sinueux. Pourtant, après avoir entendu parler d'un trésor caché sous terre, voilà Ket entraîné par ses deux amis à s'y aventurer...

102 les poings serrés (senior)
par Olivier Lécrivain
Un sacré bagarreur l'apprenti forgeron! Ses poings de quatorze ans, il sait s'en servir... Alors, lorsque l'on remonte des eaux de la Gartempe, le corps de Dédé on a vite fait de le déclarer coupable. Loïc va-t-il laisser détruire sa vie avec ces calomnies? Pourtant, depuis son accident, il ne se souvient pas bien... Ses ennemis auraient-ils raison?

103 sept baisers sans respirer
par Patricia MacLachlan
Emma, sept ans, et son frère Zachary sont gardés par leur oncle et leur tante. Mais dès le premier matin, Emma s'indigne. Aucun des deux ne pense à lui donner ses sept baisers rituels ni à lui préparer son pamplemousse en quartiers avec une cerise au milieu! Emma estime donc qu'il est urgent de leur donner quelques leçons sur leur rôle de futurs parents...

104 mon pays perdu (senior)
par Huynh Quang Nhuong
Quinze récits, souvenirs d'une enfance vietnamienne, dans un hameau en lisière de la jungle. Une nature extrêmement rude et impitoyable, des êtres dont la vie est menacée chaque jour de mort violente. Amies ou ennemies, il faut apprendre à vivre avec ces créatures sauvages.

105 **Harry-Pomme et les autres**
par Mary Riskind

Pour Harry-Pomme, dix ans, quitter sa famille pour aller à l'école signifie un véritable défi. Harry, comme ses parents, son frère et ses sœurs, est sourd de naissance. Ce qu'il va découvrir à Philadelphie et apprendre de ses professeurs apportera bien des changements dans la famille...

106 **Les naufragés du Moonraker**
par Eth Clifford

En 1866, au large de la Nouvelle-Zélande, le *Moonraker* est entraîné par des courants dans une caverne. Pour les passagers du trois-mâts, c'est l'horreur. Seuls deux canots réussissent à s'éloigner de l'épave. A bord, dix survivants. Sur l'île déserte où ils se réfugient, ils mènent un combat douloureux contre la faim, le froid, la maladie dans l'espoir fou de voir une voile apparaître à l'horizon...

107 **... Et puis je suis parti d'Oran (senior)**
par Lucien Guy Touati

Oran, septembre 1961. En toile de fond, la guerre d'Algérie qui sévit depuis sept ans. Mais pour Lucien, c'est l'aube d'une année scolaire semblable aux autres, avec ses amitiés et ses doutes d'adolescent. Pourtant un matin de mars 1962, Lucien se retrouve sur le pont d'un bateau qui l'emmène vers la France avec sa mère et ses frères et sœurs. Pourquoi ce départ ? En six mois, que s'est-il passé ?

108 **Dix histoires de Diable**
par Natalie Babbitt

Rude métier que celui de Diable ! Une réputation à tenir et la lourde charge de l'enfer, de ses pensionnaires bien souvent grincheux (c'est logique), et de son personnel qui oublie parfois d'être démoniaque. Alors le Diable descend sur terre pour y tenter quelque mauvais coup... Mais il n'est pas si facile de duper les humains !

109 Le sixième jour (senior)
par Andrée Chedid

Dans la crainte permanente des dénonciations, la vieille Om Hassan tente seule de sauver son petit-fils atteint du choléra. Pendant six jours et six nuits, elle repousse le découragement et insuffle à l'enfant malade sa force de vivre. Du cœur de l'Egypte, elle entreprend avec lui un long voyage vers la mer salvatrice.

110 Benjamin superchien
par Judith Whitelock McInerney

Benjamin, le saint-bernard de la famille O'Riley, a une vie plutôt mouvementée. Il nous raconte avec humour : « N'allez pas me dire que je suis un chien de sauvetage sans emploi ! Dans une famille de trois enfants, croyez-moi, ce ne sont pas les occasions d'héroïsme qui manquent ! Surtout quand une tornade, une vraie, dévaste la ville... »

111 Une tempête de cheval
par Franz Berliner

Lars, Mikkel, Marie et Henriette ne sont pas prêts d'oublier ce week-end de novembre ! « Pas de problèmes, avaient-ils dit aux parents, nous saurons bien nous occuper de la ferme en votre absence ! » Mais voilà qu'une tempête imprévue s'abat sur la région. Les enfants se retrouvent coupés du monde... et les chevaux en profitent pour s'échapper.

112 Dragon l'ordinaire
par Xavier Armange

Dragon l'ordinaire mérite bien son nom. Sans espoirs, sans envies ou passions, il coule des journées mornes et tristes. Un jour, un magicien de passage lui suggère de partir à travers le monde en quête de l'Amour. Et Dragon quitte ses petites habitudes... Le voici entraîné, malgré lui, dans une suite d'aventures en cascades...

113 **une télé pas possible**
par Mary Rodgers

Annabel fait une découverte étonnante : son petit frère Ben a tellement bien bricolé le vieux poste de télé qu'il transmet les émissions du lendemain ! Annabel et son copain Boris comprennent vite tout le profit qu'ils peuvent tirer de cet engin doué de voyance. Mais voilà, rien ne se passera comme prévu...

114 **la ville en panne**
par Joan Phipson

Nick et Belinda, deux Australiens de treize et onze ans, sont furieux : ils doivent monter à pied les dix étages menant à leur appartement. L'ascenseur est encore bloqué ! Leur colère se transforme vite en inquiétude : plus rien ne fonctionne normalement et leur mère ne rentre pas. C'est le début d'une grève générale. Que vont-ils devenir, seuls dans la grande ville encombrée de détritus et que ses habitants fuient ?

115 **Mary, la rivière et le serpent**
par Colin Thiele

Mary habite une petite ferme en Australie. Elle participe avec ses parents aux travaux dans les vergers proches de la rivière. Elle aime cette vie, libre et rude, rythmée par les saisons. Sa rencontre avec un serpent-tigre, qui la fascine et l'effraie tout à la fois, sera à l'origine de bien des inquiétudes pour Mary.

116 **un chemin en Cornouailles (senior)**
par John Branfield

Frances s'attache, peu à peu, à l'un des patients de sa mère, infirmière dans un village de Cornouailles anglaise. Ancien fermier, chercheur passionné d'épaves et de minéraux, ce vieil homme de 90 ans a conservé intacte une grande vivacité d'esprit teintée d'humour.
Que de richesses à partager avec Frances...

121 **Chilly Billy le petit bonhomme du frigo**
par Peter Mayle

Il n'est pas plus gros qu'une noisette et se cache pour ne pas être vu. Pourtant que ferions-nous sans lui ? Qui allume le frigo lorsqu'on ouvre la porte ? Chilly Billy, tout le monde le sait ! Mais à part ça, que savons-nous de sa vie, de son travail, de ses joies et de ses soucis quotidiens ?

122 **Manganinnie et l'enfant volé**
par Beth Roberts

1830 en Tasmanie, au large de l'Australie. A la suite d'une attaque de colons blancs, une vieille aborigène, Manganinnie, est brutalement séparée de sa tribu. Elle la recherche désespérément en suivant le cycle des migrations ancestrales. Un jour, elle enlève une petite fille blanche pour l'élever comme un enfant de sa tribu, et lui transmettre les lois et les légendes de son peuple perdu. Que deviendront-elles toutes les deux ?

123 **l'étrange chanson de sveti**
par Evelyne Brisou-Pellen

Sveti a été recueillie par une troupe de Tsiganes. Sa famille a été anéantie par la peste. Mais on n'a pas retrouvé le corps de son père. De ses premières années, Sveti conserve le souvenir d'un air. Elle en est certaine : cette chanson qu'elle fredonne sans cesse, elle la tient de son père. Peut-être un jour, la conduira-t-elle à lui ?

124 **le village fantôme**
par Eth Clifford

« L'auberge du Fantôme-qui-chuchote ! Quel nom sinistre pour un hôtel ! » pense Mary-Rose. Cette pancarte ne prédit rien de bon ! Lorsque Mary-Rose, sa petite sœur et leur père se retrouvent dans un village abandonné, les deux filles n'ont qu'une idée : repartir. L'endroit a l'air hanté ! Et il l'est d'une certaine façon...

125 la petite maison dans la prairie (tome 2)
par Laura Ingalls Wilder

«Au bord du ruisseau» : second tome de la célèbre autobiographie où l'auteur raconte sa jeunesse dans l'Ouest américain des années 1870/1890. Laura et sa famille quittent la petite maison dans la prairie à la recherche d'un coin plus paisible. Après un nouveau périple en chariot, ils s'installeront dans une étrange petite maison au bord du ruisseau.

126 Olga, Oh ! la la !
par Evelyne Reberg

Olga, dix ans, élève de CM1, est très attentive à l'opinion et aux bavardages de ses camarades de classe. Sa mère, Hongroise à la personnalité quelque peu exubérante, n'est pas sans lui poser des problèmes. Pourtant cela n'entrave en rien leur complicité, bien au contraire. Cinq récits pleins d'humour et de tendresse.

127 l'énigme de l'Amy Foster, (senior)
par Scott O'Dell

A seize ans, Nathan est mousse sur le trois-mâts de ses frères. Ils recherchent l'épave de l'Amy Foster, un baleinier disparu dans des circonstances troubles et qui transportait une fortune en ambre gris. Mais l'épave reste introuvable et un vent de mutinerie souffle sur l'équipage...

128 est-ce que les tatous entrent dans les maisons ?
par Jonathan Reed

De la phobie des légumes verts à l'angoisse de la leçon de calcul en passant par les vieilles tantes inconnues et les baisers mouillés, ce livre, rubrique après rubrique, nous parle avec humour des soucis quotidiens qui obscurcissent le ciel de l'enfance.

133 le voyage de Nicolas
par Jean Guilloré

En vacances au Sénégal avec ses parents, Nicolas part à la découverte du port de Dakar. Il y rencontre Aimé, un jeune Sénégalais de son âge. Les nouveaux amis, à la suite d'un événement imprévu, vont accomplir ensemble un trajet en pleine brousse. Une aventure qui révèle à Nicolas une Afrique fascinante.

134 la petite maison dans la prairie (Tome 3)
par Laura Ingalls Wilder

« Sur les rives du lac » : troisième tome de la célèbre autobiographie où l'auteur raconte sa jeunesse dans l'Ouest américain des années 1870/1890. L'hiver dans leur maison au bord du ruisseau a été très pénible. Alors quand on propose au père de Laura un travail sur la ligne de chemin de fer, la famille Ingalls n'hésite pas à entreprendre un nouveau périple sur le territoire du Dakota.

135 l'oiseau du grenadier - contes d'Algérie
par Rabah Belamri

Dix-sept contes recueillis dans un village de Kabylie. De vrais contes, souvent drôles, parfois cruels, où la magie est omniprésente et dans lesquels la tendresse, l'humour et la dérision se font les garants de toute une tradition orale. Ces contes parleront à tous d'une culture authentique et colorée.

136 un wagon au centre de l'univers (senior)
par Richard Kennedy

Parti pour découvrir le monde, un garçon de seize ans se glisse clandestinement à bord d'un train de marchandises. Dans ce wagon, l'adolescent trouve un compagnon de voyage, Ali, un vieux vagabond qui se lance dans un récit étrange et fascinant, aux confins du vraisemblable et du fantastique. Un voyage au centre de l'univers certes mais aussi une exploration de soi-même...

137 **La reine de l'île**
par Anne-Marie Pol

Au large des côtes bretonnes se dresse l'île de Roc-Aël. Liselor et Grand-Père y vivent seuls, heureux, dans le vieux manoir familial délabré. Pourtant, à la veille de ses douze ans, Liselor sent ce bonheur menacé. Quel est donc le secret qui tourmente de plus en plus Grand-Père ?

138 **Risques d'avalanche !**
par Ron Roy

Scott, quatorze ans, va passer huit jours à la montagne chez son frère aîné Tony qu'il n'a pas revu depuis six ans. Malgré les risques d'avalanche et les interdictions, Tony emmène Scott skier dans un coin « secret et reculé ». Grisés par la descente, les garçons ne peuvent rien contre l'énorme vague blanche qui déferle sur eux... C'est le drame.

139 **La dernière pêche du Blue Fin**
par Colin Thiele

Snook, quatorze ans, rêve depuis longtemps d'être admis à bord du thonier de son père. Le voilà enfin sur le *Blue Fin* ! Mais une brusque tornade emporte l'équipage et blesse grièvement son père. Snook reste le seul homme valide à bord du *Blue Fin* dévasté. Pourra-t-il le ramener jusqu'à Port Lincoln et sauver sa précieuse cargaison de thons ?

140 **Le Roi des babouins (senior)**
par Anton Quintana

Le père de Morengarou est un Masaï, sa mère, une Kikouyou ; deux tribus ennemies d'Afrique Centrale. Morengarou n'est accepté ni par les uns, ni par les autres. Et le voici banni. Après des jours d'errance, il doit affronter une troupe de babouins dont il tue le chef. Bien que blessé et mutilé, Morengarou devient le nouveau Roi des babouins. Mais est-ce vraiment sa place ?

141 **Un jour, un vagabond...**
par H.F. Brinsmead

Teddy, neuf ans, est seule avec sa mère quand un vagabond arrive à la ferme. En échange d'un peu de nourriture et d'un lit dans la cabane d'écorce, le vieil homme aide la famille Truelance aux travaux des champs et apprend une chanson à Teddy. Une chanson qui sera son dernier espoir lorsqu'elle se perdra dans le brouillard...

142 **Paul et Louise** (senior)
par Anne Pierjean

Une histoire de praline fut leur premier souvenir, Paul avait 5 ans, Louise 3 ans. Après il y eut les années d'école sur le même banc. Les jours passèrent rythmés par les saisons et les travaux des champs. Mais en 1914, la guerre les sépare. Commencent alors pour Louise des mois d'attente et d'angoisse...

143 **Prochain rendez-vous dans le pot de fleurs**
par Marilyn Sachs

La vie n'est pas comme dans les romans, c'est du moins l'avis de Rebecca, quatorze ans. Il ne lui arrive jamais rien d'exaltant... Jusqu'au jour où de nouveaux voisins viennent s'installer dans l'appartement d'à côté. Tout va changer pour Rebecca.

144 **Mon ami Chafiq** (senior)
par Jan Needle

Un matin, Bernard, le jeune Anglais, voit Chafiq, un garçon pakistanais de sa classe, disperser une bande occupée à lancer des briques sur des «petits mangeurs de curry». Un peu malgré lui, Bernard se retrouve impliqué dans l'affaire. Une difficile amitié naît entre les deux garçons. Arriveront-ils à éviter la violence grandissante qui les entoure?

145 **Contes des rives du Niger**
par Jean Muzi

Le Niger est l'un des plus grands fleuve d'Afrique. Voici 20 contes qui reflètent la culture des cinq pays qu'il traverse ; la Guinée, le Mali, le Niger, le Bénin et le Nigeria. Derrière la simplicité des récits, le comique des situations et l'humour des personnages se cache une profonde sagesse.

146 **La petite maison dans la prairie (tome 4)**
par Laura Ingalls Wilder

«Un enfant de la terre» est le quatrième tome de la célèbre autobiographie. Laura Ingalls y raconte la jeunesse de son mari, Almanzo Wilder. Au nord de l'Etat de New York, fils de fermier, Almanzo, huit ans, son frère aîné et ses deux sœurs partent à l'école dans la froidure de ce mois de janvier 1866.

147 **Perdu dans la taïga**
par Victor Astafiev

Deux courts récits inspirés de l'enfance de l'auteur dans sa Sibérie natale. Vassia, treize ans, s'égare dans l'immensité de la Taïga. Loin de se décourager, il marche des jours durant à la recherche du fleuve qui le conduira chez lui.
Sous les yeux de Girmantcha, ses parents disparaissent dans le fleuve en furie. Le voici orphelin. Que va-t-il devenir ?

148 **Atome-Pouce**
par Marcello Argilli

Echappé du laboratoire où il a pris forme «presque humaine», Atome-Pouce a bien de la chance de rencontrer Colombine. Fille d'un éminent savant, elle a tout de suite reconnu l'étrange petit bonhomme. C'est un atome, elle en est certaine. Il sera le petit frère qu'elle n'a jamais eu... Sous son apparence métallique, Atome-Pouce cache un cœur d'or et un esprit espiègle.
Cela les entraîne dans de nombreuses aventures...

Cet
ouvrage,
le cent-quarante-
huitième
de la collection
CASTOR POCHE,
a été achevé d'imprimer
sur les presses de l'imprimerie
Brodard et Taupin
à La Flèche
en avril
1986

Dépôt légal : mai 1986.
N° d'Edition : 15159. Imprimé en France
ISBN : 2-08-161861-3
ISSN : 0248-0492

CASTOR
POCHE
148